À Bertrix,

Merci de votre appui

Bonne lecture

[signature]

PIÈCES À CONVICTION

LUC BOULANGER

PIÈCES À CONVICTION

ENTRETIENS AVEC MICHEL TREMBLAY

LEMÉAC

Données de catalogage avant publication (Canada)

Tremblay, Michel, 1942-

Pièces à conviction : entretiens avec Michel Tremblay

(Théâtre)

ISBN 2-7609-0379-6

1. Tremblay, Michel, 1942- – Entretiens. 2. Écrivains canadiens-français – Québec (Province) – Entretiens. I. Boulanger, Luc, 1963- . II. Titre.

PS8539.R47Z53 2001 C842'.54 C2001-940369-0
PS9539.R47Z53 2001
PQ3919.2.T73Z46 2001

Photo de couverture : Georges Dutil

Leméac Éditeur remercie le ministère du Patrimoine canadien, le Conseil des arts du Canada, la Société du développement des entreprises culturelles du Québec (SODEC) et le Programme de crédit d'impôt du Gouvernement du Québec du soutien accordé à son programme de publication.

ISBN 2-7609-0379-6

1124, rue Marie-Anne Est, Montréal (Québec) H2J 2B7
Dépôt légal – Bibliothèque nationale du Québec, 1er trimestre 2001

Imprimé au Canada

INTRODUCTION

Œuvre riche et complexe, le théâtre de Michel Tremblay constitue un univers d'une cohérence exceptionnelle. Souvent comparées aux morceaux d'un casse-tête, ses pièces s'insèrent les unes dans les autres pour former une image plus grande que la somme des parties. Le théâtre de Tremblay ressemble à un vaste tableau impressionniste : chaque couleur que l'auteur appose contribue à enrichir l'œuvre.

Depuis la fin des années soixante, la critique a énormément commenté et analysé l'œuvre de cette figure dominante du théâtre québécois. Elle a parlé de genèse et d'apocalypse, de révolte et de réconciliation, de réalisme et de formalisme, du particulier et de l'universel. Elle a décortiqué ses personnages les plus puissants et ses répliques les plus célèbres, fouillé son imaginaire singulier et son discours social. Parallèlement aux propos des exégètes et aux thèses des universitaires, on a vu Michel Tremblay prendre la parole sur toutes les tribunes. Mais aucun pont ne reliait le discours analytique et le Tremblay médiatique.

Le présent ouvrage tente de combler ce vide à travers la complicité – pas toujours évidente – entre un critique et un auteur, ces deux solitudes du milieu artistique. *Pièces à conviction* s'inscrit quelque part entre le reportage, l'autobiographie et l'entrevue-fleuve. Ce livre est issu d'une série d'entretiens, couvrant trente-cinq ans d'écriture, depuis *Les Belles-Sœurs* jusqu'à *Encore une fois, si vous permettez*. Les rencontres ont eu lieu à Montréal et à Key West.

J'ai abordé l'œuvre dramatique de Tremblay de manière chronologique : vingt et une pièces, deux comédies musicales, un opéra ; l'ordre des chapitres correspond à celui de l'écriture des œuvres et non de leur création.

En accord avec l'auteur, je n'ai pas retenu trois œuvres mineures du corpus dramatique (*Le Train, Les Héros de mon enfance, Surprise ! Surprise !*), les courtes pièces (*Les Socles, Les Paons, L'Impromptu des deux presses, Éloge de la gourmandise*), ainsi que la vingtaine de traductions et d'adaptations de pièces canadiennes et étrangères signées par Michel Tremblay.

Michel Tremblay a plongé volontiers dans les recoins de sa mémoire pour recomposer son passé. Au fil des chapitres, le Québec moderne se dessine en toile de fond. Car le dramaturge est autant un acteur qu'un témoin des bouleversements de la société québécoise. De la crise d'Octobre 1970 à l'accord du lac Meech, en passant par le référendum de mai 1980, Michel Tremblay évoque dans ces entretiens des événements qui ont marqué le Canada tout entier. L'histoire de son œuvre dramatique est intimement liée à celle de ce pays et de la société qui le compose ; elle a su s'en faire le reflet autant que le révélateur.

Michel Tremblay est né le 25 juin 1942, dans le Plateau-Mont-Royal, un quartier ouvrier de l'Est de Montréal. Il a été élevé par six femmes dans un modeste sept pièces de la rue Fabre. Ce cocon féminin a influencé son enfance, son tempérament et son œuvre littéraire. Rien d'étonnant à ce que les membres de sa famille dramatique – de Germaine Lauzon à Nana (la Grosse Femme qui est l'alter ego de sa propre mère), en passant par Albertine – soient très proches de ceux de sa vraie famille. « Ma première vision du monde, confiait Tremblay au magazine *L'actualité* en mai 1992, c'est celle de ces femmes qui oubliaient que j'étais là, et qui disaient des choses qu'elles n'auraient jamais dites si elles avaient su que j'écoutais. »

En 1965, l'écrivain qui amorce *Les Belles-Sœurs* a vingt-trois ans. Il habite encore avec son père, avenue de Lorimier. Sa mère est décédée deux ans plus tôt, en 1963. L'année suivante, il se lie d'amitié avec un jeune metteur en scène de vingt ans, ayant déjà de l'audace et du génie : André Brassard. Ce dernier deviendra son complice devant l'Éternel. Grâce à lui, Michel Tremblay rencontrera la comédienne Rita Lafontaine, qui demeure toujours une fidèle amie, et il va commencer à côtoyer des artisans du théâtre amateur montréalais.

Avant la création des *Belles-Sœurs* en 1968, le milieu théâtral avait vaguement entendu le nom de Michel Tremblay. *Le Train*, une courte pièce écrite en 1959, avait reçu le premier prix du Concours des jeunes auteurs de Radio-Canada et avait été diffusée à la télévision nationale en juin 1964. En septembre 1965, le metteur en scène Pascal Desgranges avait même créé la pièce au Théâtre de la Place-Ville-Marie. Toutefois, *Le Train* ne ressemble en rien à ce que Tremblay écrira plus tard. Cette pièce met en scène deux hommes bourgeois qui se vouvoient constamment et se disent des « plaît-il ? » entre deux répliques. Nous sommes à des années-lumière de l'univers des *Belles-Sœurs.*

Entre seize et vingt-trois ans, le style de l'auteur a donc énormément changé, pour lui permettre de mieux décrire le monde qui lui est familier : le « vrai monde » de son enfance, et plus particulièrement les femmes. En créant ses premiers personnages féminins (Germaine Lauzon, Rose Ouimet, Pierrette Guérin et les autres colleuses de timbres-primes), l'auteur a donné la parole aux femmes du milieu ouvrier, comme Marcel Dubé l'avait fait avant lui, en 1957, dans *Florence.* Avec Michel Tremblay, ces archétypes de femmes du milieu ouvrier gagneront en dimension et en profondeur.

La création des *Belles-Sœurs*, le 28 août 1968, au Théâtre du Rideau Vert, à Montréal, est considérée comme la naissance du « théâtre québécois », signant la fin de l'ère du « théâtre canadien-français ». Depuis lors, les Québécois se reconnaissent intimement dans l'univers de cet écrivain prolifique, qui a su construire avec son public une puissante relation affective. Personne aujourd'hui ne doute de la place dominante qui revient à Michel Tremblay dans l'histoire du théâtre québécois.

Quelque part entre Tchekhov et Tennessee Williams, entre Vania et Blanche Dubois, Tremblay a créé des personnages qui comptent parmi les plus forts de la dramaturgie occidentale. Nana peut dormir en paix dans ce pays d'où l'on ne revient jamais. Et elle peut rêver, tranquillement, aux plages d'Acapulco. Le théâtre de son fils est multiple, universel et éternel.

EXTRAIT

ROSE OUIMET. Faut-tu être bête pour élever ses enfants dans l'ignorance de même, mais faut-tu être bête ! Ben, moé, ma Carmen, a's'f'ra pas poigner de même, O. K. ? (...) Pis a'finira pas comme moé, à quarante-quatre ans, avec un p'tit gars de quatre ans sur les bras pis un écœurant de mari qui veut rien comprendre, pis qui demande son dû deux fois par jour, trois cent soixante-cinq jours par année ! Quand t'arrives à quarante ans pis que tu t'aparçois que t'as rien en arrière de toé, pis que t'as rien en avant de toé, ça te donne envie de toute crisser là, pis de toute recommencer en neuf ! Mais les femmes, y peuvent pas faire ça... Les femmes, sont pognées à'gorge, pis y vont rester de même jusqu'au boute !

Les Belles-Sœurs, acte II

DISTRIBUTION À LA CRÉATION

Théâtre du Rideau Vert, 28 août 1968

Germaine Lauzon : Denise Proulx
Linda Lauzon : Odette Gagnon
Rose Ouimet : Denise Filiatrault
Gabrielle Jodoin : Lucille Bélair
Lisette de Courval : Hélène Loiselle
Marie-Ange Brouillette : Marthe Choquette
Yvette Longpré : Sylvie Heppel
Des-Neiges Verrette : Denise de Jaguère
Thérèse Dubuc : Germaine Giroux
Olivine Dubuc : Nicole LeBlanc
Angéline Sauvé : Anne-Marie Ducharme
Rhéauna Bibeau : Germaine Lemyre
Lise Paquette : Rita Lafontaine
Ginette Ménard : Josée Beauregard
Pierrette Guérin : Luce Guilbeault

– 1 –

LES BELLES-SŒURS
(1965)

La véritable histoire de la création au Rideau Vert
La polémique sur le joual
La conquête de Paris
Les femmes dans le théâtre de Tremblay

LUC BOULANGER : *Les Belles-Sœurs* est une allégorie de l'injustice entre les riches et les pauvres. Ceux qui possèdent des biens exploitent les plus démunis. Et ceux qui n'ont rien envient les plus riches. Après avoir gagné un million de timbres-primes, Germaine Lauzon se transforme en « petit-boss » auprès de sa famille et de ses voisines. Après une séance de collage, autour de la table de cuisine, les invitées finiront par voler les timbres de Germaine Lauzon. La pièce s'ouvre sur le mot « misère ». En général, votre théâtre donne la parole aux gens pauvres de l'Est de Montréal. En 1965, le jeune homme qui entame l'écriture des *Belles-Sœurs* voulait-il exprimer la misère d'une classe sociale ?

MICHEL TREMBLAY : Je pourrais affirmer bien des choses aujourd'hui. Comme dire que je voulais dénoncer l'exploitation du capitalisme et écrire une pièce socialiste, révolutionnaire, ou féministe... Mais je mentirais ! La vérité est plus simple : c'est une pièce totalement improvisée. Je ne l'ai pas faite dans l'intention qu'elle soit jouée. Je l'ai écrite, comme un exercice, à l'imprimerie où je travaillais, en volant deux heures par soir à mon patron durant huit semaines. J'étais un linotypiste de vingt-trois ans qui gagnait sa vie en fondant des lignes de plomb. J'aurais été prétentieux de m'imaginer pouvoir changer le monde à cette époque. J'écrivais par besoin.

L. B. Cette pièce est aujourd'hui un classique. Elle a été traduite dans treize langues et jouée dans une vingtaine de pays. Le texte a été vendu plus que n'importe quelle autre pièce contemporaine. Il est étudié au Québec, au Canada, aux États-Unis et en France. D'ailleurs, au pays de Molière, c'est l'unique pièce « étrangère » au programme scolaire des lycées. En 1987, *Lire* a choisi *Les Belles-Sœurs* pour sa « bibliothèque idéale ». Pour ce magazine littéraire français, elle constitue « une des cinquante meilleures pièces à avoir chez soi si on s'intéresse au théâtre depuis ses origines ».

Néanmoins, cet engouement n'a pas été immédiat. *Les Belles-Sœurs* a été créée le 28 août 1968, au Théâtre du Rideau Vert. Après trois années d'attente, vous vous étiez fait à l'idée que plus personne ne donnerait une chance à votre pièce. Vous avez même entrepris d'autres projets avec André Brassard[1], la rédaction de *La Duchesse de Langeais*, puis du roman fantastique *La Cité dans l'œuf*, à l'hiver 1968. Que s'est-il passé avec les *Belles-Sœurs* durant ces trois années ?

---

1. André Brassard est né à Montréal le 27 août 1946. En 1965, il dirige *Messe noire*, un collage de textes fantastiques, et met en scène pour les Saltimbanques *Les Troyennes* d'Euripide. Dès lors, à dix-neuf ans, il décide de se consacrer à la mise en scène. L'année suivante, avec des amis (dont les comédiens Jean Archambault et Rita Lafontaine), Brassard fonde sa troupe, le Mouvement contemporain. Son mandat est d'explorer la dramaturgie française d'avant-garde : Genet, Arrabal, Beckett. Toujours en 1966, il monte la première version d'*En pièces détachées*, sous le titre de *Cinq*, au Patriote-en-Haut, rue Sainte-Catherine Est, ainsi que *Les Bonnes*, de Genet, pour le Festival d'art dramatique. Il deviendra ensuite le metteur en scène attitré de toutes les créations de Michel Tremblay.

M. T. Avant le Rideau Vert, des directeurs artistiques se sont intéressés aux *Belles-Sœurs*. D'abord, Jacques Languirand. En 1967, l'animateur a brièvement dirigé le Centre culturel du Vieux-Montréal, devenu le Centaur, dans les anciens locaux de la Bourse de Montréal. Languirand avait même programmé ma pièce. Malheureusement, le Centre a fermé ses portes quelques jours avant le début de la saison. En un sens, j'ai été chanceux. Car trois semaines avant la première, Brassard n'avait pas complété la distribution des quinze rôles... Après plus de cinquante appels, seulement huit comédiennes avaient accepté ! Et la moitié d'entre elles étaient de nos amies ! Le directeur du Quat'Sous, Paul Buissonneau, adorait aussi *Les Belles-Sœurs*. Mais la scène du Quat'Sous est beaucoup trop petite pour placer quinze comédiennes ensemble. Hélène Loiselle et Lionel Villeneuve voulaient présenter *Les Belles-Sœurs* au Théâtre L'Escale, pendant l'été. Mais leur compagnie n'avait pas les reins assez solides pour produire une pièce d'un illustre inconnu avec une grosse distribution. Et il y avait aussi Hélène Stevens, Claude Deschamps et Denyse Raymond, qui avaient auparavant produit un spectacle de Guilda à la Place des Arts. Mais Brassard et moi, nous n'avions pas confiance, car c'était des producteurs de variétés qui ne connaissaient pas vraiment le théâtre.

Pour le centenaire de la Confédération et l'Expo 67, le Festival d'art dramatique (Dominion Drama Festival) avait décidé de programmer uniquement des pièces canadiennes. Nous leur avons proposé *Les Belles-Sœurs*. Mais le jury a choisi *Le Pendu*, de Robert Gurik, pour représenter le Québec.

J'étais résigné. Le manuscrit traînait dans un tiroir depuis plusieurs mois quand, le 4 mars 1968, le CEAD a organisé une lecture publique au Centre du Théâtre d'Aujourd'hui, avenue Papineau. Des actrices très populaires à l'époque (Denise Filiatrault, Denise Proulx, Luce Guilbeault, Hélène Loiselle...) participaient à cette lecture. La salle était pleine et survoltée. Un extrait de la lecture a été télédiffusé aux bulletins de nouvelles le lendemain.

Puis les événements se sont bousculés. Tout le monde parlait des *Belles-Sœurs*. Le comédien André Montmorency voulait absolument faire lire le texte à Yvette Brind'Amour et Mercedes Palomino, les directrices du Rideau Vert, théâtre où il jouait régulièrement. Je lui ai dit qu'un enregistrement de la lecture existait, et que c'était mieux qu'elles « entendent » la pièce. Depuis trente ans, plusieurs personnes ont affirmé avoir fait découvrir *Les Belles-Sœurs* aux directrices du Rideau Vert. Mais c'est bien André Montmorency et Benoît Marleau qui ont emprunté les bandes à Réginald Hamel, au Service des archives de l'Université de Montréal, et qui se sont rendus, un dimanche après-midi, chez mesdames Brind'Amour et Palomino, à Vaudreuil. Tous les quatre, ils ont écouté la pièce en brunchant. Le lendemain, madame Palomino m'a téléphoné pour prendre rendez-vous. Une semaine plus tard, le contrat de la production des *Belles-Sœurs* était signé !

L. B. À nouveau, André Brassard a dû téléphoner à une cinquantaine de comédiennes avant de compléter sa distribution. Celles qui ont refusé ont manqué tout un rendez-vous avec l'histoire du théâtre québécois. Pourquoi refusaient-elles en si grand nombre ? Avaient-elles peur ? Car, il y a trente ans, c'était assez risqué pour leur carrière de s'associer au joual : votre théâtre était victime de bien des préjugés.

M. T. En général, ces actrices refusaient parce qu'elles trouvaient ma pièce « trop vulgaire ». Je me sentais insulté, car certaines de ces comédiennes travaillaient régulièrement au Théâtre des Variétés ! Je n'ai rien contre l'ancien théâtre de Gilles Latulippe. J'y suis allé une dizaine de fois dans ma jeunesse. Tout de même, quand une actrice joue au Théâtre des Variétés, elle est mal placée pour trouver *Les Belles-Sœurs* vulgaire...

Mais avec le recul, je comprends leurs réactions. Je me souviens que Jean-Louis Roux détestait ce que je faisais en 1968. Dix ans plus tard, monsieur Roux a pourtant donné une deuxième chance à *Sainte Carmen de la Main* (qui avait connu un échec à sa création) en produisant la pièce au TNM. Gisèle Schmidt a longtemps pris ses distances avec ce que j'écrivais. Puis, en 1984, la comédienne a accepté de faire partie de la création d'*Albertine, en cinq temps*. Tout le monde a le droit de changer d'idée.

L. B. Le lendemain de la première des *Belles-Sœurs*, le 29 août 1968, le critique du journal *La Presse*, Martial Dassylva, s'insurge contre la « grossièreté » de votre texte. « Cette grossièreté et cette vulgarité procèdent de la théorie archiréaliste suivant laquelle le joual est la langue naturelle et nationale des Québécois, et qu'en conséquence, lorsqu'on met en scène des gens d'une certaine classe de la société québécoise, il faille, quoi qu'il en coûte, user du langage que, prétend-on, ils emploient. » Le journaliste affirme même que « la direction du Rideau Vert a rendu un mauvais service à Michel Tremblay en produisant sa pièce »...

M. T. J'ai toujours dit que ce sont mes ennemis qui m'ont rendu populaire. Les gens qui me trouvent vulgaire, ou qui refusent de lire mes ouvrages, m'ont fait plus de publicité que mes admirateurs. Quand la « bombe » des *Belles-Sœurs* a éclaté, j'étais un auteur de vingt-six ans complètement inconnu. Et je n'avais pas l'ambition de devenir populaire non plus...

L. B. Excusez-moi, mais c'est difficile de croire que l'auteur le plus populaire du Québec n'avait pas d'ambition...

M. T. J'avais peut-être l'ambition de devenir un bon écrivain. Mais ce n'est pas ça qui m'a fait connaître des Québécois. Je suis devenu une personnalité publique, du jour au lendemain, parce que des gens m'attaquaient. Personne ne me connaissait avant la polémique des *Belles-Sœurs*. Jusqu'au jour où je suis allé à la télévision pour défendre ma pièce. Je ne suis pas ambitieux, mais je suis très orgueilleux. Et j'ai une tête de cochon. Si on m'attaque, je me défends. Si on veut me faire taire, j'ouvre ma grande gueule pour répondre !

L. B. Vous n'aviez pas seulement des ennemis et des détracteurs. Vingt-quatre heures après l'article de Dassylva dans *La Presse*, *Le Devoir* publie, sous la plume de Jean Basile, un papier dithyrambique. Le critique parle de chef-d'œuvre. À leur insu, ces deux critiques aux jugements diamétralement opposés vont lancer une des plus importantes polémiques culturelles de l'histoire du Québec. Aucun texte n'avait déclenché une telle controverse dans les médias depuis la publication du manifeste *Refus global* en 1948[1]. Au cœur de cette polémique : l'utilisation du joual dans la littérature et le théâtre québécois.

Avant *Les Belles-Sœurs*, d'autres auteurs ont défendu le joual – Jacques Renaud et Gérald Godin à la revue *Parti pris* – ou opté pour une langue populaire, comme Marcel Dubé et Gratien Gélinas. Toutefois, en 1968, Michel Tremblay devient le porte-étendard du joual au Québec. Rôle que vous allez remplir avec passion et conviction. Dans une entrevue à *La Presse*, en juin 1973, vous disiez ceci du joual : « C'est une arme politique et linguistique utilisée par les artistes, et que le peuple comprend d'autant plus qu'il l'utilise tous les jours. (...) C'est

1. Entre août 1948 et janvier 1949, les journaux québécois ont publié plus d'une centaine d'articles en réaction au *Refus global* et au mouvement des Automatistes dirigé par le peintre Paul-Émile Borduas.

un devoir d'écrire en joual, tant qu'il restera dans ce pays des Québécois pour s'exprimer ainsi[2] ». Michel Tremblay pense-t-il encore la même chose aujourd'hui ?

M. T. La situation a évolué depuis 1973. L'aspect politique du joual a disparu complètement. Aujourd'hui, le joual tient plus d'une constatation sociale. Un auteur, surtout de théâtre, est à l'écoute des autres. Le théâtre rend compte de la parole d'un segment de la population. Le langage est notre manière d'exister dans l'univers. Si le joual n'existait plus, personne n'écrirait comme ça. Mais pour revenir à 1973, je pense que cette polémique autour de la langue était un prétexte. En réalité, il s'agissait d'une guerre entre deux groupes : les défenseurs de la culture élitiste contre les partisans de la culture populaire.

L. B. En 1972, cette division atteint un sommet avec l'affaire Claire Kirkland-Casgrain qui mobilise alors la communauté artistique. Alors ministre des Affaires culturelles du Québec sous le gouvernement libéral de Robert Bourassa, elle avait refusé d'accorder une subvention au Rideau Vert pour la tournée des *Belles-Sœurs* en France. Et ce, malgré l'invitation des acteurs français Jean-Louis Barrault et Madeleine Renaud, qui voulaient présenter votre pièce à Paris. D'ailleurs, pour *L'Impromptu d'Outremont,* en 1979, vous vous êtes inspiré de l'affaire Kirkland-Casgrain. Quelles étaient les raisons évoquées par la ministre pour son refus ?

M. T. Madame Kirkland-Casgrain disait que *Les Belles-Sœurs* ne donnait pas une bonne image du Québec. Elle faisait partie de cette élite qui croyait posséder la Culture. Soudainement, une nouvelle génération la délogeait et remettait en question ses privilèges. Il faut se rappeler qu'en 1968, trois groupes de jeunes artistes ont

2. *La Presse,* 16 juin 1973. Propos recueillis par Jocelyne Lepage.

dit la même chose en même temps ; sans s'être concertés, car ils ne se connaissaient pas. En quelques mois, quatre spectacles marquants ont été créés au Québec : *Le Cid maghané* et *Ines Pérée et Inat Tendu* de Réjean Ducharme ; *L'Ostidshow* de Robert Charlebois, Yvon Deschamps, Louise Forestier et Mouffe ; puis *Les Belles-Sœurs*. Ces artistes avaient plusieurs points en commun : ils étaient tous des décrocheurs ou des jeunes sans formation universitaire ; en général, ils étaient plus proches de la classe ouvrière que de la bourgeoisie ; et, artistiquement, ils partageaient le besoin d'exprimer quelque chose de nouveau, car ils trouvaient que l'esthétique du milieu bourgeois piétinait. Je pense que si, en 1968, l'élite avait produit un nouvel auteur de génie, un Claudel québécois, j'aurais peut-être pris mon trou. Mais elle n'a rien proposé de bon. Elle n'a pas mené le combat artistique.

Au fond de moi, je comprends pourquoi la ministre n'aimait pas *Les Belles-Sœurs*. Or, elle aurait dû dire franchement qu'elle détestait ma pièce, au lieu de prétendre que mon théâtre n'était pas exportable ou que les Français n'y comprendraient rien.

L. B. Vous alliez avoir votre revanche : en novembre 1973, *Les Belles-Sœurs* vont conquérir Paris ! John Goodwin, qui a été votre agent jusqu'à son décès au début des années quatre-vingt, a finalement produit la tournée. Le critique du prestigieux journal *Le Monde*, Jacques Cellard, a écrit que « la pièce est en joual comme *Andromaque* est en alexandrins, parce qu'il faut une langue à une œuvre et une forte langue à une œuvre forte. Celle de Michel Tremblay garderait ses significations et sa vérité humaine en berlinois à Berlin, en milanais à Milan et en cockney à Londres ».

Ultime pied-de-nez à madame Kirkland-Casgrain : en 1984, le ministre de la Culture, Jack Lang, vous a fait

Chevalier des arts et des lettres de France, « pour avoir bien utilisé la langue française » ! Ce succès dans un pays avec lequel les Québécois ont plutôt des rapports paradoxaux vous a-t-il surpris ?

M. T. Oui, beaucoup. On aurait pu se casser la gueule ! Nous étions très inconscients en quittant Montréal. Personne n'avait idée de ce que jouer à Paris représentait vraiment. Toute la troupe était transportée par l'enthousiasme. Quand les comédiennes sont arrivées à l'Espace Cardin, le guichet avait vendu cinq billets... Le lendemain de la première médiatique, seulement seize personnes étaient dans la salle. Par chance, cette première a été un moment de grâce. Quand les critiques sont enfin sorties, quatre jours plus tard, l'Espace Cardin a commencé à refuser des gens à la porte.

L. B. La pièce sera proclamée comme la meilleure production étrangère de la saison par les critiques français. Cette pièce a fait l'objet d'environ cent cinquante productions différentes ! Parmi toutes celles que vous avez vues, quelle production des *Belles-Sœurs* avez-vous le plus aimée ?

M. T. J'en ai aimé plusieurs. Mais celle qui m'a le plus étonné reste le spectacle d'une troupe féministe de Seattle, dans l'État de Washington, dans les années 1970. Les membres de la troupe pensaient que j'étais... une femme ! (Il n'y a pas de masculin au prénom « Michelle » en anglais.) En leur accordant les droits de la pièce, John Goodwin leur a révélé le véritable sexe de l'auteur... et elles m'ont quand même invité à Seattle ! C'est la production la plus comique que j'aie vue. C'était très *slapstick*. Les comédiennes étaient habillées en clowns. Elles portaient des nez rouges avec des perruques colorées qui pivotaient sur leurs têtes. La cuisine était ronde comme la piste d'un chapiteau de cirque. L'action était menée à un train d'enfer (la pièce durait 45 minutes de moins). Mais au fil de la représentation, le ton devenait plus dramatique. Je suis sorti du théâtre à la fin en état de choc. Je me sentais comme si j'avais reçu un coup de poing sur la figure ! Le rire, selon moi, est toujours critique. Sous le masque de la comédie, on retrouve énormément d'agressivité. Cette troupe avait parfaitement saisi la méchanceté qui se cache sous le comique des *Belles-Sœurs*.

L. B. Vous avez déjà dit que c'était, d'abord et avant tout, une pièce sur l'incommunicabilité, car les personnages des *Belles-Sœurs* sont incapables de se comprendre. Pourtant, ces femmes s'expriment sur plusieurs sujets importants de la condition féminine. Vous avez aussi écrit des monologues de qualité qui occupent une place importante dans la pièce. Vous faites dire des choses très lucides à des personnages incapables de se comprendre...

M. T. Justement, lorsque ces femmes se parlent, elles ne se disent rien : elles font des farces, elles se racontent des ragots ou des niaiseries. Si un personnage a quelque chose d'important à dire, il se confie à lui-même ; l'éclairage baisse, un projecteur éclaire une comédienne pour l'isoler sur la scène, puis elle amorce un monologue en aparté.

L. B. En 1965, le Québec sort à peine de la Grande Noirceur de l'époque de Maurice Duplessis (qui a été premier ministre du Québec de 1936 à 1939, et de 1944 à 1959), et d'une société très catholique dominée par le clergé. Les monologues abordent des sujets que les Québécois – et surtout les Québécoises – ne pouvaient pratiquement pas exprimer sur la place publique au début des années soixante : l'avortement, la sexualité féminine, le sexisme... Le « maudit cul ! » de Rose Ouimet a été qualifié du plus « grand cri de désespoir » lancé par une Québécoise sur la misère, la frustration et l'ignorance sexuelles des femmes d'avant la Révolution tranquille. Aviez-vous le désir de revendiquer une plus grande liberté pour les femmes ?

M. T. Encore là, la réalité est moins glorieuse... Je n'ai pas écrit ce monologue en 1965, mais en 1968, cinq jours avant la création de la pièce au Rideau Vert ! Denise Filiatrault aimait beaucoup Rose Ouimet. Mais elle trouvait que son personnage n'avait pas de propos dramatiques, comparativement aux répliques de Pierrette Guérin (Luce Guilbeault) ou de Lise Paquette (Rita Lafontaine). Paniqué, à six jours de la première, André Brassard est venu me voir chez moi, et il m'a fait part des doléances de Denise. J'ai pensé (merci beaucoup, chère Denise !) que ma pièce serait bien meilleure si Rose Ouimet – qui est très drôle tout au long du premier acte – livrait un monologue dramatique au deuxième acte.

Je me souviens parfaitement de la première fois que Denise Filiatrault a récité son monologue en répétition (je venais à peine de le lui donner, et elle ne le savait pas encore par cœur). Au lieu de regarder Denise, j'ai observé les réactions de mesdames Palomino et Brind'Amour. Elles trouvaient ces mots épouvantables et leurs visages exprimaient un tel malaise. Elles n'auraient jamais pu imaginer que je pouvais aller aussi loin. Mais, malgré leur choc – il faut le dire et le répéter –, les directrices ne m'ont pas demandé d'enlever ou de modifier une seule ligne. Même si elles n'aimaient pas ce monologue, elles n'auraient jamais censuré un auteur.

L. B. Vous avez mis quinze femmes sur scène, et pas un homme. N'est-ce pas surprenant, ou du moins innovateur, de la part d'un dramaturge en herbe ?

M. T. D'abord, je voulais combler un manque. Dans les années cinquante, le théâtre nord-américain, en général, et québécois en particulier, était écrit par et pour des hommes. Les quelques héroïnes des pièces de Gratien Gélinas étaient des personnages secondaires et comiques. Sous les personnages féminins importants du théâtre de Marcel Dubé, comme Florence, on reconnaissait trop la révolte de l'auteur. Pour moi, Florence ne ressemble pas à une vraie fille mais à un *tomboy* !

Il y a aussi le fait que j'ai été élevé par six femmes à la fin des années quarante. Je les ai longtemps observées. Je me suis identifié à leurs grandeurs et à leurs misères. J'étais comme une éponge. Quand j'ai découvert mon homosexualité, à l'adolescence, j'ai renoncé à trois choses qui, selon moi, caractérisaient les hommes machos à l'époque : conduire une voiture, boire de la bière et fumer la cigarette. Et je tiens toujours parole à plus de cinquante ans !

L. B. Longtemps, les écrivains homosexuels se sont un peu cachés derrière des personnages féminins pour parler d'amour et de désir. Pensons à Tennessee Williams, avec Blanche Dubois dans *Un tramway nommé Désir* ; ou à Edward Albee, avec Martha dans *Qui a peur de Virginia Woolf ?* Était-ce votre intention avec Germaine Lauzon et ses colleuses ?

M. T. Inconsciemment, je me suis peut-être caché derrière des femmes pour qu'on ne devine pas le sexe de l'auteur. Mais pas pour cacher mon homosexualité. La seule personne dont j'aurais redouté une réaction négative, c'était ma mère (qui s'en doutait d'ailleurs). Or, elle est décédée deux ans avant l'écriture de cette pièce. Je n'avais donc plus rien à craindre de ce côté-là.

À onze ans, je regardais souvent à la télévision une émission intitulée *Le Grenier aux images.* Le générique affichait que « les mots étaient d'Alec Pelletier ». J'ai demandé à ma mère ce que ça voulait dire. Elle m'a répondu que les mots qui sortaient de la bouche de mes personnages préférés étaient écrits par « Monsieur Pelletier » (ma mère ignorait qu'Alec était en vérité une femme, l'épouse du politicien canadien Gérard Pelletier). J'ai alors réalisé, non sans peine, la beauté du métier d'écrivain : il permet à un être de se cacher derrière des personnages pour exprimer des choses extrêmement personnelles. Finalement, les quinze femmes des *Belles-Sœurs* m'ont probablement servi de paravent.

L. B. Depuis 1968, avez-vous retouché le texte original des *Belles-Sœurs* ?

M. T. Non. Je retouche très rarement mes pièces. Sauf *En pièces détachées,* une œuvre avec laquelle je m'amuse à jouer, parce que – comme l'indique son titre – c'est un puzzle. Il est rare qu'une pièce retravaillée après la création par son auteur donne une meilleure version que l'originale. Si, avec le temps, un auteur acquiert de l'expérience, ça ne veut pas dire qu'il peut retrouver la grâce qui le touchait pendant l'écriture. Je connais tous les défauts et toutes les longueurs des *Belles-Sœurs* : les trop-pleins, les excès, les ajouts, les surajouts, etc. Je les avais déjà repérés à l'été 1968 ! Or, je ne veux rien modifier. Même si j'avais la certitude que la pièce serait meilleure, je ne changerais pas une virgule ! Car toutes les émotions, les sensations et les désirs des vingt-trois premières années de ma vie y sont inscrits. Cette pièce-là, c'est ma jeunesse. Et on ne repasse pas par sa jeunesse.

EXTRAIT

JOANNE. Chus pas capable de faire une coiffeuse ! J'peux pas me sarvir de mes deux mains, j'pense toujours à d'autres choses quand j'travaille ! Chus pas capable de fixer mon attention sur c'que je fais ! Y'a quequ'chose dans ma tête qui décroche tout le temps ... Si au moins j'étais intelligente comme moman, j'essayerais de m'en sortir... Mais non, y fallait que j'aie la tête de mon père... (...)

TOUS, *très fort.* Chus pus capable de rien faire !

MARCEL. Moé, j'peux toute faire ! J'ai toutes les pouvoirs ! Parce que j'ai mes lunettes ! Chus tu-seul... à avoir les lunettes !

En pièces détachées, 7e partie.

DISTRIBUTION À LA CRÉATION TÉLÉVISUELLE

Radio-Canada, 7 mars 1971

Thérèse : Luce Guilbeault
Robertine : Hélène Loiselle
Marcel : Claude Gai
Joanne : Christine Olivier
Gérard : Roger Garand
Lucille : Monique Miller
Mado : Sophie Clément
Lise : Micheline Pomranski
Tooth-Pick : Jean Archambault
Paul : Ernest Guimond
Maurice : Jean Duceppe

AUTRES CRÉATIONS : Sous le titre *Cinq*, au Patriote-en-Haut, le 16 décembre 1966 ; sous le titre *En pièces détachées*, au Théâtre de Quat'Sous, le 22 avril 1969

– 2 –

EN PIÈCES DÉTACHÉES

(1966)

Les origines de la famille d'Albertine
L'importance de la structure dramatique
La passion de l'opéra
L'influence du chœur grec chez Tremblay

LUC BOULANGER : *Les Belles-Sœurs* présente des prototypes de personnages : la guidoune, la ménagère, la femme jalouse, la fille-mère, la parvenue, etc. Avec *Cinq*, votre famille entre dans votre univers dramatique. Vous décidez de vous inspirer de vos proches (principalement la famille de votre tante, la sœur de votre père). La pièce s'ouvre avec madame Tremblay qui appelle son fils Michel... Et tous les protagonistes ont le nom d'un membre de votre famille. Pourquoi ce virage « autobiographique » ?

MICHEL TREMBLAY : À la création de *Cinq*, et lors de la reprise au Quat'Sous, en avril 1969, les personnages portaient leurs vrais noms : Hélène (Thérèse), Robertine (Albertine)... J'ai ensuite réalisé que j'avais commis une grosse gaffe en gardant leur nom. Car je dis des choses terribles à propos d'une famille déchirée. Mais je ne pensais pas que ça pouvait leur faire du mal. Je croyais qu'ils n'y verraient qu'une interprétation de la réalité. C'est le thème de la vérité dans la fiction que j'ai développé, vingt ans plus tard, dans *Le Vrai Monde ?*.

L. B. À savoir : Est-ce que l'écrivain trahit les siens en les représentant dans une œuvre de fiction ? Comment votre famille a-t-elle réagi en se voyant dépeinte dans cette pièce ?

M. T. Elle ne comprenait pas vraiment mes intentions. Après avoir vu la pièce au Quat'Sous, ma cousine Hélène m'a téléphoné pour me demander des explications. J'ai alors réalisé mon erreur... et ma grande naïveté. Par la suite, en 1971, j'ai changé tous les noms pour la version télévisée.

D'ailleurs, en écrivant *Cinq*, j'ignorais que la famille de ma tante Robertine allait rester au cœur de mon œuvre. Quand Robertine – qui n'avait encore jamais rien lu de moi – a regardé *En pièces détachées* à la télévision, je n'ai pas eu de ses nouvelles pendant plusieurs jours... Une semaine après la télédiffusion de ma pièce, je suis finalement allé souper chez elle. J'avais hâte de voir sa réaction. Or, ma tante m'a dit ceci : « Je me suis confessée toute ma vie à des curés. Mais ils ne m'ont jamais comprise. Je ne m'imaginais pas que j'avais, si près de moi, un neveu qui me comprenait autant ! » Encore aujourd'hui, c'est la plus belle chose qu'on m'ait dite à propos de mes pièces.

L. B. Votre tante Robertine n'était pas la seule devant son téléviseur. Plus d'un million de personnes ont regardé *En pièces détachées* aux *Beaux Dimanches*, donc près de la moitié des foyers québécois qui avaient la télévision ! Après *Trois petits tours*, également réalisé par Paul Blouin en 1969, à Radio-Canada, c'est un autre succès pour vous. Comme ce fut le cas pour *Les Belles-Sœurs*, la télédiffusion de votre œuvre dramatique a suscité aussi plusieurs réactions négatives du public. Dans le courrier des lecteurs des quotidiens montréalais, certaines personnes se sont insurgées contre la « pauvreté de la langue » de votre théâtre...

M. T. Il y a aussi eu des commentaires positifs, dont une lettre signée par le réalisateur Denys Arcand et dix autres cinéastes de l'ONF qui rendaient hommage au travail exceptionnel de Paul Blouin. Tous les commentaires négatifs portaient uniquement sur la langue. Les gens s'arrêtaient aux mots au lieu d'essayer de comprendre ce qui se cachait derrière ces mots. À nouveau, j'ai fait face à la musique. Après tout, j'écris des pièces pour provoquer des réactions.

L. B. Depuis 1966, il y a eu plusieurs versions d'*En pièces détachées*. Le titre original est *Cinq*, que vous avez modifié en 1969 pour le titre actuel. Que reste-t-il parmi les six actes de la première version ?

M. T. Le trio et le quatuor (la scène avec les trois waitresses dans le restaurant, et la chicane de famille avec Thérèse, Albertine et Gérard). Malgré les modifications, je ne suis jamais content. De tout mon théâtre, c'est la pièce qui me satisfait le moins : elle ne s'appelle pas *En pièces détachées* pour rien. J'ai d'ailleurs eu beaucoup de peine à trouver le titre avec Brassard. Quand nous l'avons proposée à Paul Buissonneau au Quat'Sous, notre titre provisoire était... *Un simple sundae...*

L. B. Cette œuvre a une structure dramatique particulière. Vous utilisez, pour la seconde fois, des chœurs constitués par les protagonistes. Vous jouez aussi avec la temporalité...

M. T. C'est effectivement une œuvre avec laquelle j'ai essayé bien des choses, formellement, et mon premier exercice sur la temporalité. J'ai écrit un quatuor où j'ai mélangé le temps : deux couples d'époques différentes se parlent entre eux (ce que je vais davantage exploiter plus tard dans *À toi, pour toujours, ta Marie-Lou*). C'est aussi la première fois que j'ai touché au psychologisme. Et au lyrisme avec les chœurs, ce qui est devenu ma marque de commerce.

L. B. Vous décrivez la descente en enfer dans une journée d'une famille dysfonctionnelle du Plateau-Mont-Royal.

Mais plus globalement, vous abordez le thème de l'impuissance d'un « peuple né pour un petit pain ». À la fin de la pièce, comme dans une litanie, les personnages scandent successivement : « Chus pus capable de rien faire... » Puis Marcel arrive, protégé par ses lunettes fumées noires, en proclamant que, grâce à sa folie, il est capable de tout faire. Qui vous a inspiré ce personnage étrange et fabuleux ?

M. T. Un de mes cousins aujourd'hui interné. Jeune, je refusais de faire partie d'une société que je trouvais injuste. J'avais vu mon cousin victime de ses crises de folie. Et je me disais que l'unique façon d'être heureux dans la vie, c'est d'être inconscient ou fou. J'ai longtemps pensé que seule la folie pouvait sauver l'être humain. J'étais un peu misanthrope...

L. B. La folie ou la mort, vous abordez ces thèmes avec fatalité. On dit souvent que votre théâtre rappelle la tragédie grecque. Vous avez utilisé des chœurs et des coryphées dans plusieurs pièces : *En pièces détachées, Les Belles-Sœurs, Marcel poursuivi par les chiens, Sainte Carmen de la Main,* entre autres... D'où vous vient cet intérêt pour les Grecs ?

M. T. La première fois que j'ai vu des chœurs, c'était en 1961, dans *Les Choéphores* d'Eschyle au Théâtre du Nouveau Monde (TNM). Comme je le relate dans mes récits *Un ange cornu avec des ailes de tôle,* cette pièce a été déterminante dans ma vie. J'ai réalisé que le chœur est constamment là pour amener, souligner, commenter l'action de la pièce, et même prévoir le destin des protagonistes.

L. B. La découverte du chœur grec, de son fonctionnement à l'intérieur d'une pièce vous a donc poussé à écrire du théâtre ?

M. T. En sortant du TNM, ce soir-là, je me suis dit : « C'est ça le théâtre. C'est ça que je veux faire ! » J'avais désormais un modèle. Ce que j'aime dans le procédé des chœurs, c'est que les personnages se multiplient au lieu de s'additionner. Au théâtre, si un personnage s'exprime seul, c'est un monologue. Mais quand ils sont cinq à le dire en même temps, c'est une collectivité qui parle. Cette découverte a influencé mon écriture à jamais.

Toutefois, ma plus grande influence demeure l'opéra. J'ai toujours été séduit par le lyrisme de l'opéra. Cet art peut faire passer plusieurs émotions fortes à la fois. Les enchevêtrements des actions, les voix parallèles, le côté musical de mon théâtre... tout ça vient de mon amour de l'opéra. Si dans cent ans, on se rappelle mon théâtre, j'espère que ce sera pour sa structure. À chaque pièce, j'essaie de réinventer l'utilisation du temps au théâtre. C'est la pierre angulaire de mon théâtre. Et, bien modestement, c'est l'héritage que j'aimerais laisser comme dramaturge.

EXTRAIT

LA DUCHESSE : Telle que chus là, là, regardez-moé ben ; telle que chus là, là, chus malheureuse comme je l'ai jamais été dans ma tabarnac de vie ! Pis savez-vous pourquoi ? Oui mes agneaux, c'est ça, vous l'avez... En plein ça : j'ai une peine d'amour !

Elle grimpe sur une chaise et lève les bras en l'air.

« La duchesse de Langeais » a une peine d'amour.

Silence.

Allez dire ça aux pompiers, y vont vous pisser dessus ! « La duchesse », une peine d'amour ! Comme si c'était possible ! Après quarante ans de métier ! Ben moé aussi j'pensais qu'après quarante ans de métier on n'avait pus de cœur, imaginez-vous donc ! Ben, écoutez-moé ben, les p'tites filles, après quarante ans d'expérience, quand on se rend compte qu'on a encore un cœur... Arrête, Alice, arrête ! T'es t'après t'attendrir ! T'es quand même pas pour chiâler ! Une femme du monde, ça chiâle pas devant le monde ! Une femme du monde, ça chie sur le monde !

La Duchesse de Langeais, acte I

DISTRIBUTION À LA CRÉATION

Création par Les Insolents de Val d'Or, printemps 1969

La Duchesse : Doris Saint-Pierre

– 3 –

LA DUCHESSE DE LANGEAIS
(1968)

Les travelos dans le théâtre de Tremblay
Le milieu théâtral dans les années 1960
Réutilisation des personnages

LUC BOULANGER : À l'hiver 1968, vous obtenez une première bourse de sept cent cinquante dollars du Conseil des arts du Canada, pour amorcer l'écriture d'un roman fantastique (*La Cité dans l'œuf*). Vous vous rendez au Mexique pour le rédiger. Mais le théâtre vous rattrapera, au détour d'une place publique à Acapulco...

MICHEL TREMBLAY : Au fond de moi, je voulais encore écrire du théâtre. Mais je ne savais pas où ma carrière de dramaturge s'en allait... Avant mon départ, il n'y avait encore aucun projet pour produire une de mes pièces. J'ai donc décidé de faire ce voyage. Un voyage très important, car c'était la première fois de ma vie que je sortais du Québec !

J'écrivais sur la plage le matin. L'après-midi, je me reposais. Et le soir, j'allais me promener sur la place centrale. Je m'arrêtais toujours dans un petit parc pour observer les gens. Un soir, j'ai eu un moment de grâce. J'étais assis sur un banc, près d'une terrasse, et je regardais un touriste québécois qui donnait un vrai show. Totalement ivre, il était debout sur une table. Il faisait une imitation du comédien Paul Berval dans un sketch du Beu qui rit, en passant du joual au français classique dans la même phrase[1]. Il jouait au macho puis se mettait ensuite à faire la folle. J'ai tout de suite eu l'idée de m'en inspirer pour une pièce, car c'était tout un personnage ! J'ai mis mon roman de côté. Et le lendemain, je me suis lancé dans *La Duchesse...*

L. B. Pourquoi lui avoir donné le nom de l'héroïne d'un roman de Balzac ?

M. T. C'est plutôt l'adaptation de Jean Giraudoux pour le film de Jacques de Baroncelli, avec Edwige Feuillère, qui m'a inspiré. Pour un travesti, à la fin des années quarante, Edwige Feuillère devait sûrement représenter un modèle – comme Liza Minnelli l'a été pour les *drags queens* dans les années soixante-dix, ou Céline Dion maintenant. Je voulais aussi illustrer le rêve d'un homme qui vient d'un milieu ouvrier. Un homme qui a dû s'instruire par lui-même dans la solitude. Un bourgeois cultivé peut toujours parler des livres qu'il a lus avec ses proches. Pas un fils d'ouvrier au Québec dans les années cinquante. Alors, comme il ne peut pas partager ses lectures avec d'autres, il choisit de les incarner. Il personnifie des personnages plus grands que sa vie, il se raconte des monologues à lui-même. Sa culture n'est pas complète. Elle a des trous. Mais, au moins, elle est personnelle !

L. B. Un homosexuel autodidacte qui vient d'un milieu ouvrier, ça pourrait être vous ? Comme Flaubert avec le personnage central de son roman *Madame Bovary*, diriez-vous que la Duchesse de Langeais, c'est vous ?

M. T. Non. Pour la bonne raison que je n'ai pas son côté féminin. Je n'ai jamais rêvé d'être une femme. Je ne me

---

1. Le Beu qui rit était une troupe de cabaret dirigée par Paul Berval, qui se produisait au club Le Melody, rue Sherbrooke Ouest, à Montréal, au milieu des années cinquante. Parmi les nombreux artistes qui ont amorcé leur carrière avec cette troupe, on compte Denise Filiatrault.

suis jamais habillé en femme. Même pas à l'Halloween ! Bien sûr, il existe des similitudes entre l'auteur et sa créature. J'ai toujours essayé de donner à mes personnages – particulièrement à Édouard – mon sens de l'humour grinçant. Il rit de tout pour se protéger des autres. Il se réfugie dans la dérision pour se sortir de n'importe quelle situation. Et moi, je ris souvent des gens que j'aime au lieu de leur exprimer mon amour.

L. B. La Duchesse sera le premier d'une série de travestis qui marqueront votre théâtre. Viendront ensuite Sandra et Hosanna. Comment ce type de personnages est-il apparu dans votre œuvre ?

M. T. En 1965, avec André Brassard et des amis (Louise Jobin, Jean Archambault et Rita Lafontaine), j'allais souvent voir des shows de personnificateurs féminins dans des cabarets du centre-ville comme le Hawaian Lounge, rue Stanley. Nous étions des fans de Belinda Lee. Mais déjà, en 1968, je n'y allais presque plus. Reste que ces shows demeurent gravés dans ma mémoire.

À vrai dire, je garde un vague souvenir de l'écriture de *La Duchesse...*, tellement je l'ai fait dans le plaisir et l'inconscience. Je me disais : « J'ai un personnage ; il est seul à Acapulco ; il vit une peine d'amour ; il est paqueté. » Et comme, pour moi, une peine d'amour, c'est d'abord et avant tout une peine d'orgueil, je me suis permis une totale impudeur. Quand j'ai fini le premier acte, je l'ai envoyé à Brassard, à Montréal. Il m'a répondu de continuer, qu'il aimait ça, et que c'était le genre de provocation qu'il avait envie de mettre en scène[2].

---

2. André Brassard ne va toutefois pas créer *La Duchesse de Langeais*. La pièce a d'abord été produite bien loin de Montréal, à Val-d'Or, en Abitibi, dans une mise en scène d'Hélène Bélanger.

L. B. Dans les années soixante, au Québec et ailleurs, les gens ignoraient la réalité homosexuelle. Un personnage aussi cru, efféminé et vulgaire était, comme le soulignait Brassard, un véritable acte de provocation !

M. T. Avant la création, le Centre des auteurs dramatiques a organisé une lecture publique à Montréal, en juin 1968. C'est le comédien Pierre Collin qui donnait sa voix à la Duchesse. Après la lecture, une femme est venue me voir. Elle m'a demandé pourquoi c'était un homme ET NON UNE FEMME qui lisait *La Duchesse...* ! Elle ne pouvait pas s'imaginer qu'un homme puisse parler aussi explicitement de son attirance pour un autre homme...

Ce texte va très loin dans la provocation tant physique que verbale. TOUT LE MONDE trouvait cette pièce vulgaire, moi le premier. Nous avons reçu plusieurs refus avant de trouver un acteur pour monter la pièce au Quat'Sous. Brassard avait sollicité des comédiens chevronnés, comme Roger Garceau, Jean Gascon et Jean Duceppe. Mais ils se sont tous désistés. Quand j'ai terminé *La Duchesse...*, nous venions – Brassard et moi – de signer notre contrat avec le Rideau Vert pour la production des *Belles-Sœurs*. Naïvement, André a donné le texte à mesdames Brind'Amour et Palomino dans l'espoir qu'elles le programment pour la prochaine saison. On a reçu une telle douche froide...

Le temps a passé. J'ai mis de côté *La Duchesse de Langeais*. Entre août 1968 et mai 1969, j'ai travaillé avec André Brassard sur trois spectacles : *Les Belles-Sœurs*, *En pièces détachées* et *Lysistrata* (d'après Aristophane) pour l'ouverture du Centre national des Arts à Ottawa. En février 1970, le comédien Claude Gai a finalement accepté de jouer la Duchesse. Même s'il était âgé de trente-trois ans et que le personnage en avait... soixante. Plus tard, je l'ai rajeuni de dix ans.

L. B. Pourquoi Claude Gai a-t-il accepté de défendre un personnage aussi sulfureux ?

M. T. Je connaissais Claude. Il avait incarné Marcel, lors de la création de *Cinq*, et il avait été membre des Apprentis Sorciers et des Saltimbanques[3]. Je pense que Claude a dit oui pour nous faire plaisir, à Brassard et à moi. Depuis deux ans, nous souhaitions tellement qu'un acteur défende ce personnage. Claude trouvait que c'était un très beau rôle. Il l'a incarné avec force, et de façon inoubliable. Un quart de siècle plus tard, André Montmorency a repris le rôle de la Duchesse et en a fait quelque chose de très différent, de moins dramatique et de plus burlesque.

L. B. Depuis vos débuts, la pratique du métier a beaucoup évolué. Dans les années soixante, le milieu théâtral ne pensait pas en termes de marketing, de production, d'industrie et de compétition. Les compagnies n'avaient même pas de relationnistes de presse ou de responsables de placement médias. Sans mentionner les coûts et les budgets qui étaient dérisoires. Avez-vous la nostalgie de cette époque ?

M. T. Un jour, je vais certainement écrire un livre sur le climat théâtral qui régnait à cette époque à Montréal. Les jeunes comédiens n'étaient pas subventionnés et payaient même un dollar par semaine pour faire du théâtre ! Je me rappelle qu'André Brassard avait monté en une semaine au Patriote-en-Haut – avec un budget dérisoire de deux cents dollars ! – l'ensemble des pièces de Samuel Beckett. Si maintenant le mot amateur est devenu péjoratif, au début des années soixante, ce n'était pas grave pour un jeune acteur d'être amateur. J'ai moi-même été régisseur au Patriote-en-Haut pour un show de Brassard.

---

3. Les Apprentis Sorciers et les Saltimbanques sont deux troupes amateurs importantes au début des années soixante à Montréal avec comme membres, entre autres, Jean-Guy Sabourin, Claude Gai, Whilma Ghezzi.

L. B. Vous n'avez pas eu le goût de sauter la clôture et de devenir acteur pour le Mouvement contemporain, par exemple, avec André Brassard et Rita Lafontaine ?

M. T. Non, jamais. Brassard ne me l'a pas demandé non plus ! De toute façon, j'aurais refusé. Le métier d'acteur ne m'intéressait pas. J'étais très conscient que je n'avais pas ce talent. De plus, je roulais mes r...

L. B. À l'automne 1993, sur l'invitation de l'ancien directeur du Théâtre de Quat'Sous, Pierre Bernard, vous signez la mise en scène d'une pièce de Serge Boucher, *Natures mortes*. Quelles étaient alors vos motivations pour sauter la clôture ?

M. T. Pendant qu'il était directeur artistique, Pierre Bernard avait l'habitude de demander des choses inusitées et audacieuses à des artistes. Le projet de *Natures mortes* est arrivé à une époque où j'avais envie d'essayer un nouveau défi. Toutefois, en travaillant sur le spectacle, j'ai vite réalisé que je n'étais ni un meneur ni un décideur. Et, au théâtre, le metteur en scène, c'est le grand chef ! Moi, j'ai l'habitude qu'on me « travaille dessus », et non de « travailler sur les autres ». Il faut connaître ses limites.

L. B. Dans votre roman *La Duchesse et le roturier*, le personnage que représente la comédienne Juliette Pétrie dit à Édouard qu'il y a une grande différence entre être drôle dans la vie et être drôle sur une scène. Vous avez compris très jeune qu'il ne faut pas avoir plus d'ambition que de talent...

M. T. Oui. Toutefois, je veux nuancer cette remarque. Dans *Les Chroniques...*, madame Pétrie bloque les rêves artistiques d'Édouard. Alors que moi, autant maintenant qu'à mes débuts, personne ne peut m'empêcher d'écrire. Je peux pleurer, chialer et réagir fortement aussitôt qu'un journaliste dit du mal d'un de mes ouvrages, mais j'écris toujours. J'avance comme un camion. La seule chose qui pourrait m'arrêter, c'est si on prouve que je me répète...

L. B. Et personne n'y est parvenu à ce jour ?

M. T. Je sais pertinemment que quelqu'un pourrait me donner tort en me prouvant que je me suis déjà répété. Mais, pour survivre, un auteur doit croire qu'il innove toujours. À deux reprises, aux créations de *Marie-Lou* et d'*Albertine...*, des journalistes ont déclaré que j'avais écrit mes chefs-d'œuvre ultimes et que je pouvais m'arrêter là ! Voilà la pire chose qu'on puisse dire à un auteur : « Vous êtes tellement bon que vous devriez cesser d'écrire. » Tiendrait-on ce genre de propos à un cuisinier ou à un coiffeur ? Heureusement, je persiste et signe. Je sais qu'il me reste des choses à dire.

L. B. Et quelles choses exactement ?

M. T. Je veux davantage explorer de nouvelles structures que des thèmes. Car je ne connais jamais les thèmes d'avance. Ça dépend de ce que je suis en train de vivre au moment de l'écriture. C'est souvent inconscient. Je ne peux pas planifier ça. De toute façon, avec les grands thèmes (l'amour, la mort, la maladie), tout a été dit depuis longtemps. Il ne nous reste seulement, pauvres auteurs, qu'à trouver de nouvelles façons de répéter les mêmes vieilles choses...

L. B. La Duchesse (alias Édouard) est le seul personnage que vous avez ajouté à la famille d'Albertine et qui ne s'inspire pas de votre famille réelle. Le quatrième tome des *Chroniques du Plateau-Mont-Royal* porte son nom : *Des nouvelles d'Édouard*. André Brassard affirme que la Duchesse est « le personnage le plus extraordinaire » de votre théâtre. Et il ne vous a jamais vraiment pardonné de l'avoir fait mourir, sans l'avertir, dans *Sainte Carmen de la Main*. Est-ce aussi le personnage préféré de Michel Tremblay ?

M. T. C'est un de mes personnages favoris. Je l'ai beaucoup utilisé dans le passé. Mais Albertine et Marcel sont en train de le dépasser. J'ai commencé par la fin de sa vie dans *La Duchesse de Langeais.* Depuis, je m'arrange pour l'amener vers l'état d'esprit où il était dans cette pièce, c'est-à-dire très amer. Chaque fois que je réutilise un personnage, cela me demande une gymnastique mentale extraordinaire. Par exemple, si je réutilise Marcel, il doit toujours être moins fou que dans *En pièces détachées.* Et si j'écris une nouvelle pièce avec la Duchesse ou Albertine, je dois les « déconstruire » pour les diriger lentement vers leur destin. C'est un travail d'écriture passionnant et exigeant. J'ai commencé par écrire l'Apocalypse, et je vais peu à peu vers la Genèse. C'est l'envers de la Création.

L. B. Vous êtes aussi un des rares écrivains qui font librement voyager leurs personnages du théâtre au roman et du roman au théâtre, en passant par le cinéma, la télévision et la comédie musicale. En traversant votre œuvre, on retrouve, ici et là, des morceaux de personnages qui finissent par faire un tout. Est-ce que l'auteur peut aujourd'hui entrevoir la fin de son puzzle ?

M. T. J'espère vraiment qu'un jour tout sera relié et que mon puzzle sera enfin terminé. Mais j'ignore quand et comment. Au fil des ans, je prends un grand plaisir à voir cette fresque prendre forme. Peut-être que la Duchesse, Marcel et Albertine ne seront achevés qu'à ma mort...

DISTRIBUTION

Trois Petits Tours (triptyque)

Création télévisuelle : Radio-Canada,
21 décembre 1969

Berthe

Berthe : Denise Proulx

Johnny Mangano and his Astonishing dogs

Carlotta : Sophie Clément
Johnny Mangano : Jacques Godin

Gloria Star

La femme : Denise Pelletier
Le régisseur : Dominique Briand

*

Demain matin, Montréal m'attend

Deuxième version : Théâtre Maisonneuve, 16 mars 1972

Lola Lee : Denise Filiatrault
Louise Tétrault : Louise Forestier
Betty Bird – Mère Tétrault : Denise Proulx
Purple : Louisette Dussault
Marcel-Gérard : André Montmorency
La Duchesse de Langeais : Claude Gai
Candy Baby : Jean-Pierre Bergeron
Violet : Frederique Collin
Danseuse – Sandy : Louise Deschatelets
Butch : Odette Gagnon
Mimi Pinson : Amulette Garneau
Cuirette : Marc Grégoire
Danseuse – Cream : Yvonne Laflamme
Waitress – Danseuse – Scarlet : Véronique Le Flaguais
Danseur – Hosanna : Ghislain Tremblay

– 4 –

TROIS PETITS TOURS
(1969)
DEMAIN MATIN, MONTRÉAL M'ATTEND
(1970)

En avant la musique !
Michel Tremblay, producteur
Un rôle en or pour Denise Filiatrault

LUC BOULANGER : Avec *Trois petits tours* et *Demain matin, Montréal m'attend*, votre univers dramatique se transforme un peu. Vous délaissez les cuisines du Plateau-Mont-Royal pour les coulisses du cabaret et du showbiz. Comment expliquer ce changement d'univers ?

MICHEL TREMBLAY : Dans le cas de *Demain matin, Montréal m'attend*, cela s'est fait assez rapidement. Au printemps 1970, Jean-Claude L'Espérance, qui travaillait au Théâtre du Nouveau Monde, venait d'apprendre que la Ville de Montréal cherchait un spectacle d'été pour le cabaret Le Jardin des Étoiles, à La Ronde. Il m'a encouragé à proposer un projet. J'ai eu l'idée de faire un show de cabaret en me servant de l'espace : une salle de mille cinq cents places, avec un service de bar. Le public pouvait acheter des consommations sans interruption ; on entendait donc le bruit des caisses enregistreuses durant la représentation...

J'ai écrit les premières chansons en joual. Et j'ai eu un fun vert à faire ça. Je me suis rendu compte que le joual est une langue éminemment musicale ; davantage que le français normatif. Les rimes sont plus étonnantes, comme dans l'anglais – qui est une langue qui sied bien à la comédie musicale. Parmi les auteurs de *musicals* anglo-saxons, j'aime particulièrement Stephen Sondheim. Il écrit des chansons avec des rimes à la fois comiques et très émouvantes.

Je devais travailler très vite : j'ai commencé *Demain matin, Montréal m'attend* au mois de mai, et le show prenait l'affiche le 4 août ! J'ai tout de suite trouvé un thème : l'éternel *success story* américain, le *nobody* de la campagne qui arrive en ville pour faire carrière et devenir populaire. J'ai écrit les chansons de *Demain matin...* de façon chronologique, à raison d'une par jour pendant deux semaines. J'ai même écrit deux chansons en un seul après-midi ! L'idée des serveurs et des serveuses dans le numéro d'ouverture était de Brassard. Il avait habillé les vingt acteurs et chanteurs avec des costumes semblables à ceux du personnel du Jardin des Étoiles en voulant confondre le public. Ça donnait le ton à la comédie musicale.

L. B. Vous avez également produit ce spectacle lors de sa création. Pourtant, Michel Tremblay n'a pas vraiment le profil d'un producteur... Comment vous êtes-vous débrouillé dans ce nouveau rôle ?

M. T. Au départ, ça se présentait bien. J'avais un budget de quarante mille dollars. Je signais des chèques aux acteurs et aux musiciens. Et le show était un succès. On faisait salle comble (trois mille personnes à raison de deux représentations par soir). Au bout de deux semaines, la Ville de Montréal m'a proposé de prolonger sept jours de plus. Naïvement, j'ai accepté sans demander plus d'argent à la Ville – car je devais continuer à payer mon monde – et j'ai perdu cinq mille dollars en fin de parcours. Ma carrière de producteur a pris fin brusquement cet été-là.

L'année suivante, j'ai décidé de confier la gérance de mes droits à John Goodwin. Ç'a été un des meilleurs choix de ma vie. À l'époque, j'étais un des rares auteurs représentés par un agent au Québec. Je disais aux producteurs qui voulaient monter une de mes pièces d'appeler mon agent, et cela les insultait ! Ils ne comprenaient pas pourquoi je voulais négocier par l'intermédiaire d'un agent et non directement avec eux. Ils croyaient que je ne leur faisais pas confiance.

L. B. Le thème de *Demain matin, Montréal m'attend* est justement la réussite. Ou plutôt la réussite sociale selon le rêve américain. Votre théâtre est tout le contraire du rêve américain. Car les rêves ou les désirs de vos protagonistes ne se réalisent jamais. À défaut de vivre une vie de rêve, vos personnages rêvent leur vie...

M. T. Car ils sont nostalgiques. En exergue de mon roman *Thérèse et Pierrette à l'école des Saints-Anges*, j'ai mis une citation du romancier américain John Irving : « *Imagining something is better than remembering something.* » La nostalgie est un thème récurrent dans mon œuvre. Mes personnages rêvent plus qu'ils n'agissent. S'ils essaient de faire quelque chose, ils ont toutes les misères du monde à le réaliser. Ou encore, comme Carmen, ils se font assassiner. Par exemple, les protagonistes de *Trois petits tours* sont loin de pouvoir réaliser leurs rêves. Berthe, la vendeuse de billets à l'entrée du Coconut Inn, reste enfermée dans sa cage de verre. Sa seule évasion, c'est de boire du *cream soda* et de lire des magazines de cinéma. Carlotta a suivi Johnny Mangano par amour. Elle l'aide à faire son numéro de chiens savants depuis douze ans, même si elle ne peut plus le supporter. Finalement, l'agente de Gloria Star attend le succès en vain. Je dis souvent qu'un mal connu vaut mieux qu'un bien inconnu. C'est le problème de mes personnages. Et de beaucoup de gens dans la société...

L. B. *Demain matin, Montréal m'attend* montre l'autre côté du star system. Lola Lee, une chanteuse très ambitieuse, écrase tout le monde sur son passage pour atteindre gloire et succès. J'ai lu quelque part que vous vous étiez inspiré de la carrière de la comédienne Denise Filiatrault, qui a d'ailleurs créé le rôle de Lola Lee en 1970.

M. T. J'ai effectivement écrit le personnage de Lola Lee pour Denise. Mais ce n'est pas son histoire à elle. Par contre, je lui ai donné son sens de l'humour, son « timing ». Je me doutais bien que Denise aimerait ce personnage. Malgré sa force et sa détermination, Lola Lee reste très vulnérable. Jusqu'à la première du show au Jardin des Étoiles, Denise n'arrivait jamais à finir de chanter *La Complainte de Lola Lee.* Chaque fois, au beau milieu de la chanson, elle éclatait en sanglots. Elle trouvait l'histoire de Lola très belle, et très cruelle.

L. B. *Trois petits tours* a été écrit pour la télévision. La pièce a été diffusée à Radio-Canada le 21 décembre 1969. Les trois rôles principaux sont défendus par trois Denise (Filiatrault, Proulx et Pelletier), trois excellentes comédiennes qui sont alors des stars de la télévision. *Trois petits tours* a eu d'excellentes cotes d'écoute. Vous étiez déjà « hot », comme on dit. Après la bombe des *Belles-Sœurs,* tout le monde devait se ruer sur Michel Tremblay pour lui proposer du travail non ?

M. T. J'ai eu plusieurs offres après *Les Belles-Sœurs.* Brassard et moi, on passait d'un projet à l'autre. Le réalisateur Paul Blouin, qui travaillait à Radio-Canada, m'a appelé parce qu'il avait aimé *Les Belles-Sœurs.* Et il se rappelait que j'avais gagné le Concours de Jeunes Auteurs de Radio Canada. J'étais très flatté de pouvoir travailler avec lui parce que j'aimais beaucoup ses téléthéâtres. Il avait réalisé *Mort d'un commis voyageur* d'Arthur Miller, en 1962, avec l'inoubliable Jean Duceppe dans le rôle de Willy Loman, et aussi plusieurs grandes pièces de Marcel Dubé.

L. B. Par la suite, on a souvent repris au théâtre deux parties de cette pièce : *Berthe* et *Johnny Mangano and his Astonishing Dogs.* Toutefois, on n'a jamais repris *Gloria Star.* Comment expliquez-vous cela ?

M. T. Parce que ce n'est pas une bonne pièce ! Tout simplement. *Gloria Star* a été écrite spécialement pour la télévision. Avec des effets visuels. D'ailleurs, à la première lecture, j'avais dit à Denise Pelletier que ce n'était pas ce que j'avais fait de meilleur... Diplomate, elle m'avait répondu : « Ce n'est pas grave. Tu m'écriras un autre personnage plus tard. »

L. B. Vous avez aussi longtemps dit que *Demain matin, Montréal m'attend* était un de vos textes les plus faibles. Le pensez-vous encore maintenant ?

M. T. Non, plus maintenant. Quand j'affirmais ça, j'ajoutais toujours : « Par contre, je suis très fier de mes chansons et de la musique de François Dompierre. » En 1993, le producteur François Flamand m'a demandé les droits pour reprendre une nouvelle version de la pièce, vingt-cinq ans après sa création. J'ai d'abord refusé. Je ne voulais pas relire la pièce ; j'avais peur de déprimer. Je voulais que ça reste un beau souvenir.

Puis, un jour, Denise Filialtrault a monté des extraits de la pièce pour un exercice public avec des étudiants de l'École nationale de théâtre du Canada. À sa demande, j'y suis allé. Et je me suis réconcilié avec le texte que j'ai trouvé très comique. J'ai finalement accepté l'offre de François Flamand, en ajoutant trois nouvelles chansons pour la mise en scène de Denise, au Théâtre Saint-Denis en 1995, qu'elle a reprise au Cabaret du Casino de Montréal en 1999, dans une version en un acte.

L. B. Comment a été l'expérience de travail avec le compositeur François Dompierre ? Est-ce difficile d'écrire en duo ?

M. T. Nous nous entendions à merveille parce que François Dompierre travaille aussi vite que moi. Nous écrivions séparément : je donnais mes textes à François, puis il composait la musique des chansons. Jamais je ne m'asseyais avec lui au piano pendant qu'il composait. Je fonctionne toujours comme ça ; j'ai fait la même chose avec André Gagnon pour *Nelligan.* D'abord parce que je ne suis pas un musicien : je ne sais pas lire une partition. Ensuite, parce que j'aime mieux avoir la liberté au début, quitte à retravailler mes textes ensuite. À une exception : Louise Forestier trouvait que son personnage (Louise Tétrault) n'avait pas assez de chansons dans *Demain matin...* François et moi, nous nous sommes assis au piano pendant une répétition. Et on a écrit pour Louise *Johnny du BBQ* en trente minutes ! Cela prouve que, parfois, les contraintes aident à améliorer les pièces...

L. B. Finalement, est-ce que l'écriture de chansons pour une comédie musicale a été quelque chose de facile à réaliser pour le dramaturge en herbe ?

M. T. Non, même si j'avais déjà une expérience en la matière avec l'adaptation de *Lysistrata.* Je n'avais jamais composé une chanson de ma vie, et j'ai écrit un *musical* de vingt et une chansons ! Il fallait avoir beaucoup de naïveté ou de prétention – deux choses proches parentes – pour se lancer dans une telle entreprise.

EXTRAIT

MARIE-LOUISE. « Moé, j'prends mon plaisir, toé, prends le tien... » J'ai lu dans le *Sélection*, l'aut'jour, qu'une famille c'est comme une cellule vivante, que chaque membre de la famille doit contribuer à la vie de la cellule... Cellule mon cul... Ah oui ! pour être une cellule, c'est une cellule, mais pas de c'te sorte-là ! Nous autres, quand on se marie, c'est pour être tu-seul ensemble. Toé, t'es tu-seule, ton mari à côté de toé est tu-seul, pis tes enfants sont tu-seuls de leur bord... Pis tout le monde se regarde comme chien et chat... Une gang de tu-seuls ensemble, c'est ça qu'on est ! *(Elle rit.)* Pis tu rêves de t'en sortir, quand t'es jeune, pour pouvoir aller respirer ailleurs... Esprit ! Pis tu pars... pis tu fondes une nouvelle cellule de tu-seuls... « Moé, j'prends mon plaisir, toé, prends le tien ! » Sacrement !

Elle rit.

LÉOPOLD. Que c'est qui te prend à rire de même, tout d'un coup ?

MARIE-LOUISE. J'prends mon plaisir, mon amour...

À toi, pour toujours, ta Marie-Lou

DISTRIBUTION À LA CRÉATION

Théâtre de Quat'Sous, 29 avril 1971

Marie-Louise : Hélène Loiselle
Léopold : Lionel Villeneuve
Carmen : Luce Guilbeault
Manon : Rita Lafontaine

– 5 –

À TOI, POUR TOUJOURS, TA MARIE-LOU
(1970)

La crise d'Octobre 1970
Structure et musique
Un rapport ambigu avec la critique
Mélodrame et tragédie

LUC BOULANGER : *À toi, pour toujours, ta Marie-Lou* a été écrit durant la crise d'Octobre provoquée par le Front de libération du Québec (FLQ). À la création, cette pièce est perçue comme une métaphore de la situation politique québécoise. Comment avez-vous vécu les événements d'octobre 1970 ?

MICHEL TREMBLAY : D'abord, j'ai été déçu de ne pas avoir été arrêté par les policiers de la Sûreté du Québec, car c'était héroïque pour un artiste indépendantiste d'avoir passé trois semaines en prison ! Sérieusement, j'ai vécu la crise d'Octobre dans un état de grand étonnement. Je ne réalisais pas vraiment ce qui se passait. Il y avait un côté tellement absurde à tout ça. Il fallait voir à quel point nos politiciens au pouvoir (Pierre Elliott Trudeau à Ottawa, Robert Bourassa à Québec et Jean Drapeau à la mairie de Montréal) avaient perdu les pédales. C'était hors de toutes proportions. Bien sûr, la situation était dramatique – il y a eu l'enlèvement de diplomate britannique James Richard Cross et la mort du ministre libéral Pierre Laporte. Mais aussi importante fût-elle, cette crise ne justifiait aucunement les actes et les décisions absurdes des dirigeants. C'est comme si les hommes politiques avaient voulu se faire de la bonne publicité avec ces événements !

L. B. En effet, le climat politique était très sombre. Des indépendantistes québécois ont même évoqué l'État policier. Quelques cinéastes, dont Michel Brault avec son excellent film *Les Ordres*, ont représenté les abus de pouvoir commis durant la crise d'Octobre. Est-ce en réaction à ce climat politique que vous avez écrit *Marie-Lou* ?

M. T. Pas directement. Avant la crise d'octobre, j'avais eu l'idée d'écrire une pièce sur le passé du Québec confronté à deux possibilités d'avenir : l'espoir et la résignation. J'imaginais mettre en parallèle deux personnages aux antipodes. Le premier, Carmen, ouvre la porte et s'en va ; le second, Manon, reste engoncé dans les jupes de sa mère. *Marie-Lou* est davantage une pièce sociale que politique. D'ailleurs, je n'aime pas le théâtre politique. Je déteste quand des auteurs me disent quoi penser. Ça m'énerve. Un auteur est là pour faire réfléchir, pas pour donner des réponses aux gens. Laissons cela aux curés et aux *preachers.*

Toutes mes pièces qui ont pu avoir une intention politique au départ – celles écrites au début des années soixante-dix – ont vite perdu leur côté politique. Elles n'ont conservé que le côté humain. Pour moi, la plus grande pièce sur le pouvoir de tous les temps, c'est *Antigone* de Sophocle. Or, le politique, au premier degré, ce qui se passait à Athènes il y a deux mille cinq cents ans, cela a disparu aujourd'hui. Mais *Antigone* demeure la plus grande pièce sur le pouvoir.

Pour revenir à *Marie-Lou,* quand René Richard Cyr a signé la reprise au Théâtre Jean-Duceppe, en 1996, la comparaison avec la situation politique ne tenait plus. Mais les spectateurs s'identifiaient à la souffrance des membres de cette famille dysfonctionelle. Les relations humaines sont universelles et intemporelles.

L. B. Vous avez déjà affirmé que *Marie-Lou* est votre pièce qui vous a fait le plus « suer ». Que vouliez-vous dire exactement ?

M. T. J'ai pataugé longtemps avant de me décider. Au début, dans la première version que je m'étais faite dans ma tête, l'action se passait dans un magasin de bonbons. Carmen et Manon avaient des chums. Plus tard, j'ai écrit des dialogues avec Marie-Lou et Léopold qui étaient très mauvais. J'étais sur le point de tout mettre à la poubelle... Or, il y a eu la crise d'octobre et, surtout, les élections municipales à Montréal en novembre 1970. Je me rappelle que le maire Jean Drapeau avait capitalisé au maximum sur les événements d'octobre. Il s'en est servi pour dénoncer ses adversaires : les candidats du FRAP – l'ancêtre du RCM – et son chef Paul Cliche. Tout au long de la campagne électorale, Drapeau a fait peur au monde. Il qualifiait le FRAP de « branche du FLQ ». Il disait que si le FRAP gagnait, les membres du FLQ allaient terroriser la population à nouveau, que Montréal serait à feu et à sang, et le Québec en guerre civile ! Malheureusement, beaucoup de Montréalais l'ont cru. Le maire Drapeau a été réélu avec une majorité écrasante ; une des plus fortes de sa longue carrière...

Révolté, j'ai réalisé que la pièce que j'avais en tête n'était pas trop radicale. Au contraire, elle traduisait d'une façon l'inconscient collectif, la peur des Québécois devant le changement. Je devais donc écrire cette pièce à tout prix.

L. B. Vous aviez un sujet et des personnages. Mais pas de situation. Comme ce fut le cas en 1968, avec *La Duchesse de Langeais*, un voyage a finalement déclenché l'écriture de l'œuvre...

M. T. En effet, grâce à une autre bourse, je suis allé à New York. J'étais bien euphorique. J'avais loué une chambre au Chelsea Hotel. Je croisais Tim Rice dans l'ascenseur, qui venait d'avoir un gros succès avec son livret du spectacle *Jesus Christ Superstar.* Ça sentait le pot et le haschisch dans les corridors de l'hôtel. Le petit gars du Plateau-Mont-Royal se trouvait très *hip* !

Malgré tout, je figeais éternellement devant la page blanche, jour après jour, je n'arrivais pas à débloquer. Je déprimais dans ma chambre. Puis, un soir, j'ai été au Lincoln Center pour entendre un concert de l'Amadeus Quartett. Je me rappelle qu'il jouait, entre autres, un quatuor à cordes de Brahms. En écoutant le quatuor, j'ai trouvé la structure de ma pièce : quatre personnages immobiles. Isolés sur la scène, ils deviendraient des instruments d'une partition musicale parlée. Un quatuor à cordes vocales. J'ai été dans la lune pendant tout le concert, car je ne pensais qu'à ma pièce. À la fin, je suis vite retourné au Chelsea Hotel. Onze jours plus tard, *À toi, pour toujours, ta Marie-Lou* était terminée !

L. B. Dans une entrevue avec la journaliste Jocelyne Lepage (*La Presse*, 27 août 1988) le poète, journaliste et politicien Gérald Godin[1], disait ceci : « Michel Tremblay est le premier écrivain québécois à construire ses textes comme une symphonie, ses phrases sont comme des partitions. Tremblay est un des meilleurs architectes verbaux de la langue française. »

M. T. Ces propos de Godin sont flatteurs. D'autant plus que je trouve que les critiques s'attardent trop souvent au contenu de mes pièces, et pas assez à leur forme. Alors que je répète souvent que ce dont je suis le plus fier, c'est justement la structure de mes pièces.

L. B. La distribution impressionnante de la création au Quat'Sous est formée de Luce Guilbeault (Carmen), Rita Lafontaine (Manon), Hélène Loiselle (Marie-Lou)

1. En 1966, Michel Tremblay avait envoyé le manuscrit des *Belles-Sœurs* à Gérald Godin, alors qu'il était éditeur chez Parti pris. Ce dernier aurait égaré le texte dans le désordre de son bureau.

et Lionel Villeneuve (Léopold). Les personnages collent à la peau de chacun de ces acteurs. Pensiez-vous à eux en particulier pendant l'écriture de *Marie-Lou* ?

M. T. Effectivement, pour la première fois de ma vie, j'ai visualisé les quatre acteurs en écrivant. J'ai écrit Lola Lee pour Denise Filiatrault, mais je n'entendais pas sa voix. Pour *Marie-Lou*, c'était très important d'entendre les voix des acteurs en écrivant la pièce. Aujourd'hui, c'est devenu une habitude. Ça ne marche pas toujours... Parfois, les comédiens que j'ai en tête pendant l'écriture ne sont pas libres pour la création de la pièce. Ou encore ils refusent parce qu'ils n'aiment pas le rôle. Toutefois, je continue à penser à des acteurs précis parce que ça m'aide dans le processus d'écriture.

L. B. Un des thèmes majeurs de *Marie-Lou*, c'est l'ignorance. L'ignorance crasse qui empêche les gens d'évoluer. Vous dépeignez un peuple « né pour un petit pain », et assez misérable. Or, la scène se passe en 1961, au début la Révolution tranquille[2]. Le Québec est à l'aube de grandes mutations économiques, politiques et sociales. *A priori*, votre vision du Québec dans *Marie-Lou* peut nous sembler passéiste, vue d'aujourd'hui ?

M. T. Qu'on le veuille ou non, la paresse intellectuelle a marqué les Québécois pendant deux cent cinquante ans ! Depuis la Conquête, le clergé et les Anglais ont

2. La Révolution tranquille a été une période de bouleversements sociopolitiques et de ruptures historiques au Québec. Elle a débuté avec l'arrivée au pouvoir du gouvernement libéral de Jean Lesage (1960-1966), puis du gouvernement unioniste de Daniel Johnson (1966-1969). Les principales réalisations de cette époque sont : la nationalisation de l'électricité, la construction du barrage hydro-électrique Manic 5, la réforme du système de l'éducation, l'Expo 67 et l'inauguration du métro de Montréal. La Révolution tranquille a aussi été marquée par un net recul de l'Église catholique et du clergé dans les structures sociales du Québec.

répété aux Québécois qu'ils étaient un « petit peuple ». Longtemps, les Québécois ont fait semblant d'y croire. À partir de la Révolution tranquille, le Québec a amorcé une mutation accélérée. Mais il lui a fallu encore plusieurs années pour se débarrasser de son image défaitiste. Et je ne pense pas qu'elle soit totalement disparue...

L. B. En général, vos personnages sont assez défaitistes. Ils aiment bien fabuler : pour eux, le rêve remplace la réalité...

M. T. Mes personnages sont des rêveurs qui n'agissent pas. Ils ne disent jamais : « Si je devenais riche, tout irait mieux ; si j'avais une meilleure job, tout irait mieux. » Non. Ils rêvent plutôt d'aller ailleurs, de fuir très loin. C'est ce que j'ai connu plus jeune quand j'habitais sur le Plateau-Mont-Royal. Dans les années quarante et cinquante, au Québec, les hommes rêvaient en buvant de la bière à la taverne ; pendant que les femmes rêvaient de voyage en lisant des revues et des romans-photos. La première fois que j'ai représenté ma mère dans un texte de fiction – dans *La Grosse Femme d'à côté est enceinte* –, on la retrouve dans son lit en train de rêver de partir à Acapulco...

L. B. Or ici, Carmen ne se contente pas de rêver. Elle fait un geste libérateur. C'est un tournant dans votre théâtre. On verra, plus tard, dans *Sainte Carmen de la Main*, qu'elle se libère de sa prison familiale pour mieux plonger dans l'*American Dream.* Elle se déguise en cowgirl du Midwest. Elle se forge l'identité d'une chanteuse western américaine. Finalement, Carmen est-elle vraiment libre ?

M. T. Carmen se leurre sur sa liberté. Mais au moins, elle fait quelque chose de sa vie. Mieux vaut agir en se trompant que de ne jamais prendre de risques. C'est la différence entre les critiques et les artistes : les artistes produisent une œuvre, alors que les critiques ne font que commenter le travail de quelqu'un d'autre...

L. B. Je reconnais ici un trait de votre personnage public... Vous aimez bien critiquer les critiques. Après plus de trente années de vie publique, vous semblez en éternel conflit avec eux. Michel Tremblay s'habituera-t-il, un jour, à leur jugement ?

M. T. La critique est un métier que je ne comprends pas...

L. B. Le rapport que vous entretenez avec les médias est surprenant. Vous adorez les tribunes médiatiques et les entrevues. Plusieurs créateurs se vantent de ne pas lire les critiques ; pas vous. Tous les matins, vous achetez plusieurs journaux et magazines. Vous dévorez tout : interviews, reportages, comptes rendus. Vous lisez religieusement les critiques de spectacles ou de films, tant dans la presse québécoise et française que dans la presse américaine. Vous reconnaissez même le style et les travers de chaque critique montréalais. Pourquoi ne pas faire la paix avec eux ?

M. T. Vous n'êtes pas là pour qu'on vous aime ! Je ne connais aucun artiste qui aime les critiques. Trouvez-moi quelqu'un capable d'aimer ses juges.

L. B. Revenons à notre sujet. Léopold et Marie-Lou forment un drôle de ménage. Mois après mois, semaine après semaine, soir après soir, goutte après goutte, Léopold et Marie-Lou se détestent avec virulence. Sont-ils vos deux personnages les plus tragiques ?

M. T. Pendant l'écriture, j'ai eu peur de tomber dans le mélo en exprimant un tel déchirement avec ce couple. J'aime répéter que le mur entre la tragédie et le mélodrame est un mur de papier. Il ne faut pas avoir peur de le percer pour puiser dans les deux genres. Mais il faut garder le contrôle dans l'écriture. Un auteur ne doit pas se laisser aller à la générosité des personnages, car il risque de faire un virage périlleux. Ou se laisser emporter par le style et distraire par les détails.

Pour moi, une pièce de théâtre, c'est une ligne entre un point A et un point B. Il faut donc faire le moins de virages possible, le chef-d'œuvre ultime étant la ligne parfaitement droite : une pièce à laquelle on ne peut ni ajouter, ni retirer, une seule réplique. C'est la raison pour laquelle j'écris très vite : je veux m'empêcher de bifurquer en cours de route.

L. B. À la fin, Léopold et Marie-Lou vont se tuer dans un accident de voiture sur le boulevard Métropolitain à Montréal. Mais ce n'est pas vraiment clair si c'est un accident ou un suicide. Désiriez-vous laisser les spectateurs dans le doute face au destin de ce couple maudit ?

M. T. Marie-Lou et Léopold se lancent un ultime défi. Je ne crois pas qu'ils décident d'aller se tuer en voiture d'un commun accord. Ce n'est pas un pacte. Mais la dernière réplique de Marie-Lou reste tout de même : « Tu pourras jamais savoir comment j't'haïs ! » Elle provoque encore Léopold. Le sous-texte dit : « Mon maudit, t'es pas *game* d'aller jusque-là ! » Finalement, Marie-Lou ne sait pas si elle va revenir morte ou vivante de son « tour de machine ».

EXTRAIT

HOSANNA. Y'ont commencé par Bambi. Sa gang y'a faite un triomphe, naturellement. Je l'ai regardée. Était belle. Ensuite, ç'a été Candy. Candy, est ben laide, mais pour une fois... a's'était forcée. Le monde criaient, sifflaient... La troisième Cléopâtre, ç'a été Carole. Avec sa robe longue, était quasiment regardable. On voyait pas ses p'tites cannes croches... Pis ensuite... ç'a été mon tour. J'sais pas si t'as déjà entendu un silence de même, Cuirette, mais moé j'en avais jamais entendu ! (...) Cuirette, j'pense que j'tais morte ! Pis j'sais pas qui, mais quelqu'un a commencé à crier : « Ose, Anna, ose ! Envoye, montre-nous que t'es capable, la Taylor ! Ose, Anna, ose ! Ose, Anna, ose ! » Tu riais tellement, Cuirette, tu riais tellement que c'est toé qui m'as décidée à monter sur le stage ! J'me sus levée... J'ai monté les trois marches au milieu des « ose, Anna, ose ! ». Pis là, au milieu du stage, pendant que tout le monde riaient de moé, pis me sifflaient, pis me criaient des niaiseries, j'me sus dit : « Cléopâtre est un gros tas de marde ! Elizabeth Taylor est un gros tas de marde ! Tu l'as voulu, ton gros tas de marde, Hosanna-de-Saint-Eustache, ben le v'là, ton gros tas de marde ! » Écoute ben ça, Cuirette : j'étais pus Cléopâtre, cibole, j'étais Samson !

Hosanna, acte II

DISTRIBUTION À LA CRÉATION

Théâtre de Quat'Sous, 10 mai 1973

Hosanna : Jean Archambault
Cuirette : Gilles Renaud

– 6 –

HOSANNA
(1971-1972)

Le cap de la quarantaine
Une homosexualité assumée
Les dangers du succès
L'aventure à Broadway

LUC BOULANGER : À la création de ce texte, vous avez comparé le personnage éponyme à un oignon qui enlève ses pelures une à une. Hosanna entre en scène déguisé comme Elizabeth Taylor dans le film *Cléopâtre*, et tout au long de la pièce, le personnage effectue un striptease tant physique que psychologique. Dans *Peer Gynt*, l'auteur norvégien Henrik Ibsen dresse aussi un parallèle entre son personnage principal et un oignon. Peer Gynt se met à peler un oignon en identifiant chaque pelure avec une époque de sa vie : le naufragé, le chercheur d'or, le prophète, le Crésus...

MICHEL TREMBLAY : Et il conclut en disant : « Il y en a des peaux dans un oignon ! »

L. B. Oui. Peer Gynt se demande aussi s'il y a « un noyau, un cœur ou une âme » ou seulement « des pelures de plus en plus minces et petites »... Est-ce que le striptease d'Hosanna tourne aussi à vide ?

M. T. Hosanna, alias Claude Lemieux, est un coiffeur-qui-rêve-d'être-une-femme-qui-rêve-d'être-une-actrice-anglaise dans un film américain, au sujet d'une reine égyptienne, et tourné en Espagne ! Quel beau problème d'identité ! Une telle quête a quelque chose d'absurde. Mais je crois que cela lui permet finalement de devenir plus authentique, plus vrai avec lui-même.

L. B. À la fin, Hosanna se met à nu devant Cuirette : « Cléopâtre est morte, pis le parc Lafontaine est toute illuminée ! R'garde, Raymond, c'hus t'un homme ! C'hus t'un homme, Raymond ! C'hus t'un homme ! C'hus t'un homme ! C'hus t'un homme... » La pièce se termine avec des points de suspension. Que signifient-ils ?

M. T. André Brassard me répète souvent que j'aime faire des fins ouvertes. Il est impossible de prédire ce que les personnages feront à la tombée du rideau. Mais ici, je pense qu'Hosanna effectue une véritable prise de conscience, c'est une catharsis.

L. B. Dans sa mise en scène, pour la reprise en 1991, au Théâtre de Quat'Sous, Lorraine Pintal a retiré le strass de la proposition de départ. Elle n'a pas travesti Hosanna en femme, tel que vous l'indiquez dans les didascalies. Le comédien René Richard Cyr, qui portait un pantalon et un chandail à col roulé noirs, était coiffé d'une perruque raide, à la Cléopâtre, et chaussé d'escarpins soulignant le côté féminin d'Hosanna. Ce nouveau visage du protagoniste a-t-il modifié le message de la pièce ?

M. T. Ce qui vieillit le plus vite dans une pièce, c'est son message. Ce qui reste, c'est son humanité. L'Histoire et le contexte changent, pas les humains. C'est un grand plaisir pour un auteur de voir les lectures qu'un metteur en scène fait de son œuvre. Pierre Bernard, alors directeur du Quat'Sous, a probablement choisi Lorraine Pintal parce qu'elle avait une vision différente de la pièce. Pintal m'a téléphoné après avoir relu la pièce. Elle était emballée et voulait me parler d'une idée qu'elle avait eue en lisant : René Richard Cyr jouerait le long monologue du deuxième acte comme un numéro de *stand-up comic.* Elle a concrétisé cette idée extraordinaire dans la production. En faisant sortir Hosanna de son décor, le rideau tombé, pour prendre le micro et se confesser à l'avant-scène, ça enlevait toute possibilité de réalisme à ce monologue de la trahison.

L. B. Au début de la pièce, Cuirette lance à Hosanna : « T'as pas mal plus que les trente ans qu'tu prétends avoir ! » Comme plusieurs travestis, Hosanna a peur de vieillir et de ne plus pouvoir séduire. Hosanna a donc autour de quarante ans. Vous m'avez déjà confié que la quarantaine représente l'âge de la désillusion. Que vouliez-vous dire ?

M. T. À ce cap, en général, on réalise qu'on n'a pas fait la moitié de nos rêves de vingt ans. Quand un jeune écrivain commence à écrire, il a la prétention qu'il va changer le monde. Plus tard, il se rend compte qu'il ne changera rien du tout. Qu'au mieux, ses pièces et ses livres feront réfléchir quelques lecteurs...

L.B. Vous êtes un peu pessimiste...

M. T. Après *Les Belles-Sœurs,* je m'imaginais pouvoir changer des choses. Plus maintenant.

L. B. Plusieurs créateurs affirment le contraire. Pour eux, la beauté de l'art, c'est justement de rêver qu'une œuvre peut changer le monde ! L'homme de théâtre québécois Jean-Claude Germain, qui a été directeur du Théâtre d'Aujourd'hui de 1972 à 1982, estime que dans « chaque jeune auteur sommeille une révolte ». Vous ne partagez pas son avis ?

M. T. La révolte est encore là ; la prétention de changer le monde a disparu. Avec mes pièces, je peux faire réfléchir et émouvoir des milliers de personnes, mais je ne peux pas transformer toute une société. Il n'y a rien de plus triste qu'un vieil anarchiste de soixante ans ! Ma plus grande leçon d'humilité remonte au référendum de 1980[1]. Nous étions une centaine d'artistes partis de Montréal en autobus pour aller manifester sur la Colline parlementaire à Québec. Les uns après les autres, tous les artistes ont pris la parole pour exhorter la foule à dire oui à l'indépendance du Québec, en croyant que leur discours serait écouté par les « gens du pays ». La défaite du oui a été une des grandes désillusions de ma vie...

L. B. À quoi Michel Tremblay pense quand il est plongé dans l'écriture de ses pièces ?

M. T. Quand j'écris, je pense aux phrases que je compose, et à rien d'autre. D'abord, j'écris pour moi. Pas pour le monde. Le plus grand danger qui guette un écrivain, c'est d'écrire pour plaire aux gens. Est-ce que Picasso ou Dali ont peint leurs toiles pour les autres ? Ces artistes peignaient pour eux. Pourquoi en serait-il autrement pour les écrivains ? Je n'ai jamais rédigé une seule phrase pour faire plaisir à quiconque. On peut détester ce que j'écris, mais on ne peut pas me reprocher de vouloir plaire à tout prix.

L. B. La création d'*Hosanna* correspond au début de la période d'affirmation des gais et des lesbiennes et de leur combat pour l'égalité en Occident. En quoi cette pièce mettant en scène un couple gai s'inscrit-elle dans ce mouvement ?

M. T. En revenant du parc Lafontaine, Cuirette se plaint à Hosanna que la police a rasé tous les buissons dans lesquels des hommes s'adonnaient à des activités

---

1. Le 20 mai 1980, les souverainistes ont perdu le référendum face aux fédéralistes. La question demandait aux Québécois de donner un mandat au gouvernement du Parti québécois de négocier la souveraineté-association du Québec avec le reste du Canada. 59,6 % ont répondu Non ; et 40, 4 %, Oui.

sexuelles. Sa complainte contre les policiers ressemble au discours d'un militant gai : « On va vous faire ça dans 'face, hostie ! Y' a autant de tapettes dans'police qu'y en a ailleurs ! (...) On va toutes faire ça ensemble, en pleine lumière, les culottes baissées, au beau milieu d'un terrain de base-ball, sacrement ! » Avec son monologue, Cuirette dit que les gais ont toujours été là et resteront toujours là ; qu'il faut cesser d'être hypocrite et de faire comme si l'homosexualité n'existait pas.

L. B. Deux ans après *Hosanna*, en 1975, vous avez été une des premières personnalités du monde artistique québécois à « sortir du placard » lors d'une entrevue à la télévision. Êtes-vous devenu, à ce moment-là, un *role model* pour la communauté gaie et lesbienne au Québec ?

M. T. Oui et non. Plusieurs gais ont même dénoncé mon théâtre. Ils pensent qu'en représentant des travestis sur une scène, je nuis à leur cause. Il y a des gais qui sont plus moralisateurs envers les différences à l'intérieur de leur propre communauté que ne le sont les hétérosexuels avec eux.

J'ai tout même reçu un prix Arc-en-ciel, en 1993, avec d'autres personnalités gaies et lesbiennes. J'ai aussi été invité à une conférence de l'Association des étudiants gais et lesbiennes de l'UQAM. Et ils m'ont dit que j'étais un *role model*, que je les avais aidés à sortir du placard. Ça m'a touché.

L. B. Hosanna dit qu'il ne peut pas croire qu'il y avait autant de monde qui l'haïssait. Vous m'avez confié que l'intrigue de la pièce est inspirée d'un rêve que vous aviez fait plus jeune : pendant l'écriture des *Belles-Sœurs*, vous avez littéralement rêvé que vos collègues à l'Imprimerie judiciaire avaient lu et carrément détesté votre pièce. Dans ce rêve, vous êtes accueilli au travail par des collègues se moquant de votre manuscrit ! André Brassard a dit qu'*Hosanna* est une pièce écrite par un paranoïaque. Est-ce le cas ?

M. T. Je suis convaincu – même si je sais que c'est faux, donc, je suis paranoïaque ! – que des gens peuvent acheter des billets pour aller haïr une de mes pièces. En 1996, à la première de la reprise de *Marie-Lou*, au théâtre Jean-Duceppe, j'étais dans la dernière rangée de la salle, totalement terrorisé. J'étais sûr que les huit cent cinquante personnes présentes détestaient le spectacle ! Je sais bien que je suis un auteur aimé, que le public m'est fidèle. Je devrais donc savourer ces moments que sont les premières. Mais c'est une obsession : je deviens paranoïaque chaque fois que j'assiste à une nouvelle représentation d'une de mes pièces. Et cette obsession ne diminue pas avec le temps et les succès. Au contraire : c'est pire ! Car les attentes sont plus grandes. Mais je ne suis pas seul dans ce cas. Je pense que tous les artistes sont paranoïaques à divers degrés. Car tout geste artistique est un appel au secours. Un artiste veut être aimé du public. En même temps, il a peur du rejet et ne veut surtout pas être critiqué. Face aux critiques, un artiste reste toujours sur la défensive.

L. B. En revanche, certains artistes croient qu'une fois leur talent confirmé par la critique, le public et le milieu, ils ne connaîtront plus jamais l'angoisse. Ils mettent tous leurs œufs dans le panier du succès. Quelle est votre attitude face au succès ?

M. T. Pour moi, ce sont deux choses très différentes. Et je n'ai jamais associé le succès au bonheur. Le succès, c'est comme un maquillage : il peut camoufler le malheur, mais il ne l'enlève pas.

L. B. Vous avez la réputation d'écrire rapidement. Cinq de vos pièces ont été rédigées en onze jours seulement ! Or, *Hosanna* vous a demandé beaucoup plus de temps.

Après une période très féconde, de 1968 à 1971, étiez-vous alors en panne d'inspiration ?

M. T. Non, j'étais un peu déprimé. J'ai longtemps eu peur de perdre la main. Après le succès des *Belles-Sœurs*, j'imaginais que ma carrière de dramaturge durerait cinq ans tout au plus... C'est pour cela qu'au début, avec Brassard, nous avons mis les bouchées doubles en travaillant, en moyenne, sur trois projets par année ! À la création de *Marie-Lou*, des journalistes ont affirmé que j'étais « au sommet de mon art ». C'est incroyable de dire ça à un auteur de trente ans ! Je me suis mis à croire que j'étais peut-être l'auteur d'une mode. Je pensais à des écrivains très talentueux – comme Tennessee Williams, Carson McCullers et Truman Capote – qui ont énormément souffert du succès dans leur vie. Ils n'ont pas pu égaler les chefs-d'œuvre de leur jeunesse. Et ils se sont autodétruits dans la drogue et l'alcool.

L. B. *Hosanna* a été produite à Broadway, en novembre 1974. Vous êtes un des rares auteurs québécois à avoir été à l'affiche de Broadway[2]. À Montréal, au lendemain de la première, le journal *La Presse* s'emballe : « Tremblay a été mis sur la carte à Broadway, et le théâtre québécois avec lui », écrivait le journaliste Martial Dassylva. Dans les faits, les choses sont moins spectaculaires : la pièce est retirée de l'affiche après trente représentations, ce qui est très peu pour Broadway ; la moyenne d'assistance fait à peine cinquante pour cent de la capacité de la salle ; les producteurs encaissent un déficit de soixante mille dollars. Quel souvenir gardez-vous de cette aventure ?

2. Avant Tremblay, *Tit-Coq* de Gratien Gélinas avait été présentée à Broadway en 1951. Gélinas y retournera en 1988, avec *La Passion de Narcisse Mondoux*.

M. T. Un producteur américain a acheté le show, après l'avoir vu à Toronto. Son erreur a été de produire directement la pièce dans une salle de Broadway, le Bijou, sur la 44e Rue. Pourtant, il était sincère et très enthousiaste. Il venait de produire *Oh ! Calcutta.* Il croyait à la pièce et pensait faire un deuxième « hit ». Il m'avait d'ailleurs envoyé ce mot : « *You'll be good for Broadway. And Broadway will be good to you !* »

Malgré des critiques élogieuses – dont celles de John Simon au *New York Magazine* et de Clive Barnes au *New York Times* –, le public n'est pas venu voir *Hosanna.* À Broadway, ce sont les touristes qui remplissent les salles. Ils vont à New York pour voir des stars américaines. À deux pas du Bijou, on présentait une comédie musicale avec les Andrews Sisters. En face, Anthony Hopkins jouait dans *Equus.* Alors un auteur québécois inconnu, défendu par deux acteurs canadiens (Richard Monette et Richard Donat), dans une mise en scène d'un Torontois (Bill Glassco), ce n'est pas une affiche pour attirer les touristes... Si *Hosanna* avait été présentée *off-*Broadway, au Lucille Lortell Theatre, par exemple, dans Greenwich Village, la production aurait pu tenir l'affiche dix ou douze mois !

Mais j'étais surtout déçu pour John Goodwin qui avait perdu de l'argent en coproduisant le show. Personnellement, j'étais satisfait de mon sort. Ma pièce avait été présentée à Broadway. Clive Barnes l'avait aimée. J'avais eu une entrevue publiée à la une du cahier Arts et Spectacles de l'édition dominicale du *New York Times.* Je ne pouvais pas me plaindre.

L. B. Après la Duchesse, Hosanna est le plus important travesti de votre théâtre. Hosanna joue sur l'ambiguïté du masculin et du féminin et questionne l'identité sexuelle. En 1973, des commentateurs ont écrit que ce personnage illustrait la crise d'identité des Québécois, avec leurs sempiternelles querelles constitutionnelles. Est-ce que cette lecture tient toujours ?

M. T. Quand *Hosanna* a été présentée à New York, j'ai commis une grave erreur en parlant du côté « politique » de la pièce au journaliste du *New York Times.* Je lui avais expliqué qu'Hosanna représentait le Québec et son chum, Cuirette, le Canada. Or, le sujet de la pièce est d'abord l'identité sexuelle et non la politique. J'ai donc mis les gens sur une fausse piste. Et les critiques new-yorkais, avec raison, ont trouvé que c'était une drôle de façon d'aborder la politique.

L. B. Six ans plus tard, en octobre 1980, c'est au tour de *Bonjour, là, bonjour* d'avoir les honneurs d'une production dans une grande salle près de Times Square, le Marymont Manhattan Theatre. Après avoir connu le succès dans le Midwest, à Minneapolis, les producteurs décident de produire le spectacle à Broadway. Comment a été reçue cette deuxième production new-yorkaise ?

M. T. Malheureusement, les producteurs ont changé la distribution originale pour avoir des acteurs connus à Broadway. Le rôle principal, Serge, était défendu par William Katt, un jeune comédien qui avait joué dans le film à succès *Carrie,* de Brian de Palma, avec Sissy Spacek. Mais cet acteur n'était pas à la hauteur du personnage. Le lendemain de la première, Frank Rich, le célèbre critique du *New York Times,* a descendu *Bonjour, là, bonjour.* Et ma carrière new-yorkaise a pris fin sur-le-champ !

L. B. Toutes les portes des grands théâtres new-yorkais se sont fermées subitement à cause d'une seule critique ? Cela semble exagéré. D'autant plus que *Bonjour, là, bonjour* a également reçu – dans le *New York Post,* le *Village Voice* et le *Daily News* – des commentaires favorables ou plus nuancés. Vous croyez que l'opinion de Frank Rich pouvait avoir autant de poids ?

M. T. C'est ça, Broadway ! C'est une foire aux vanités. Un milieu d'une cruauté et d'une fausseté invraisemblables. Après la première, le gratin new-yorkais est venu à une réception dans un restaurant de Times Square. Il y avait là plus de deux cents personnes. Des journalistes, des relationnistes, des acteurs, des actrices, dont Meryl Streep. Tout le monde avait aimé le show. Les gens félicitaient Mister Tremblay, le sourire aux lèvres. Autour de minuit, la première édition du *New York Times* est parue. (À New York, les premières commencent à 18 h 30 afin que les journalistes fassent leurs papiers à temps pour l'heure de tombée.) La rumeur a rapidement couru que Frank Rich avait fait une mauvaise critique. Alors, il y a eu un mouvement de la foule vers la sortie. Dix minutes plus tard, le resto était vide. Le party, terminé. Je me suis retrouvé seul avec les comédiens et le producteur. J'ai senti la ville devenir froide et hostile. Inutile de vous dire que je n'ai pas dormi de la nuit...

EXTRAIT

ARMAND. La tour Eiffel, j'le sais, oùsqu'a'l'est ! Est sur la rive gauche ! Pis Notre-Dame de Paris aussi, j'le sais ! Sur l'île de la Cité ! Victor Hugo en a assez parlé dans son livre ! Pendant la crise, là, quand j'travaillais pas, ben j'lisais. Toé, tu t'en rappelles pas, t'étais pas au monde, mais demande à Lucienne. Maupassant, pis tout ça, j'ai toute lu ça, moé !

GILBERTE. Y'est peut-être fatiqué. Ça y tente peut-être pas de toute nous conter ça aujourd'hui. (...)

ARMAND. Voyons donc ! Y'est capable de parler à son père même si y'est un p'tit peu fatiqué, jamais j'croirai ! Ça fait trois mois qu'on s'est pas vus ! Y nous a assez rabâché les oreilles avec c'te voyage-là avant de partir, j'peux pas croire qu'y'est pas capable de nous donner queq'u's'impressions en débarquant de l'avion ! À part de t'ça, tu m'as dit, à Dorval, qu'y faut que tu te tiennes réveillé au moins jusqu'à minuit, à soir, rapport au décalage d'heures, ça fait qu'envoye, shoote, j't'écoute !

Bonjour, là, bonjour, N° 1 – trio

DISTRIBUTION À LA CRÉATION

Centre national des Arts d'Ottawa, 22 août 1974

Lucienne : Denise Pelletier
Denise : Amulette Garneau
Monique : Monique Joly
Nicole : Odette Gagnon
Gilberte : Rita Lafontaine
Charlotte : Frédérique Collin
Armand : Gilles Renaud
Serge : Guy Thauvette

– 7 –

BONJOUR, LÀ, BONJOUR
(1974)

Tremblay et le féminisme
Une pièce qui dit l'amour du père
L'importance d'André Brassard
La nouvelle génération au théâtre

LUC BOULANGER. Dans les années cinquante et soixante, la grande Denise Pelletier était votre comédienne préférée au Québec (aux États-Unis, c'étaient Deborrah Kerr et Shirley MacLaine). Or, c'est elle qui a créé le rôle de Lucienne, dans *Bonjour, là, bonjour.* Connaissiez-vous Denise Pelletier avant la création de la pièce ?

MICHEL TREMBLAY. Oui, car Brassard l'avait dirigée dans *L'Effet des rayons gamma sur les vieux garçons*, de Paul Zindel, une pièce que j'ai traduite pour le Quat'Sous. Je me rappelle que Brassard en avait très peur. Denise Pelletier avait la réputation d'être difficile pendant les répétitions. Finalement, ils se sont très bien entendus. Plus tard, Brassard et moi avons pensé à elle pour Lucienne, la sœur parvenue de Serge. Notre choix s'est avéré juste, car elle était magnifique, et très drôle avec son accent « franglais ». D'ailleurs, elle était aussi efficace dans la méchanceté que dans le désarroi du personnage.

L. B. Vous avez qualifié cette pièce de très *flower power.* Pourquoi ?

M. T. *Bonjour, là, bonjour* représente les valeurs de la fin des années soixante. Son message est très *peace and love* : l'amour, même incestueux, est plus important que tout.

L. B. Des critiques vous ont reproché de ne pas avoir osé représenter l'amour entre deux hommes. Selon eux, la relation incestueuse entre Serge et sa sœur sublimerait l'homosexualité de Serge.

M. T. C'était effectivement ma première idée pour un téléthéâtre que j'avais proposé, après *Trois petits tours*, au réalisateur Paul Blouin. Il m'a averti qu'une histoire d'amour entre deux hommes ne passerait pas à la télévision aux heures de grande écoute. Mais je ne me suis pas censuré. J'avais abordé cette réalité dans *Hosanna* et *La Duchesse de Langeais*. J'ai simplement voulu explorer autre chose. D'ailleurs, l'inceste est un sujet encore plus tabou que l'homosexualité.

L. B. Des comédiennes ont refusé de jouer dans la pièce parce qu'elles contestaient le caractère « abrutissant » des personnages féminins. Des actrices et des auteures féministes vous ont même traité de misogyne ! Il semble avoir eu méprise entre ce que vous avez écrit et ce qui a été reçu. Qu'en pensez-vous ?

M. T. J'ai fait un portrait tellement épouvantable de l'avilissement des femmes dans un monde d'hommes que ça démontre, au contraire, mon empathie pour les femmes. Un misogyne ne montrerait pas des clichés aussi gros : l'alcoolique, la toxicomane et la boulimique. Lucienne, Denise ou Monique représentent des stéréotypes de ce que la société voulait faire des femmes avant l'arrivée du mouvement féministe. En 1974, les femmes voulaient en finir avec le patriarcat et le machisme. Et moi, j'arrive avec de tels personnages féminins... C'est normal, dans ce contexte, que certaines féministes aient pu réagir ainsi : elles n'ont pas vu le deuxième degré dans mon texte.

L. B. L'accusation de misogynie est surprenante à propos d'un homme qui a déjà affirmé : « Je préfère me ranger du côté des femmes, parce que la seule parole neuve et originale du vingtième siècle provient des femmes. » Que vouliez-vous dire ?

M. T. Les grandes révolutions mondiales (russe, française ou mexicaine) étaient des révolutions d'hommes motivées par des considérations économiques. Ici, pour la première fois, le féminisme proposait une révolution humaine avant d'être économique ; les féministes ont parlé d'argent par la suite. Au début, ça venait des tripes, d'un besoin de dénoncer les injustices sociales, le sexisme. La lutte des femmes a sonné l'éveil des autres minorités : les Noirs, les gais... D'ailleurs, dans les années soixante-dix, les féministes radicales avaient de la sympathie pour les gais et les travestis. Leurs luttes étaient parallèles. C'est pour ça que dans mes premières pièces, les travestis côtoient souvent des femmes qui les acceptent comme ils sont.

L. B. Dans la relation étouffante entre Serge et ses sœurs, il y a quelque chose qui rappelle la famille traditionnelle italienne ou latine. *Bonjour, là, bonjour* est une de vos pièces les plus jouées à travers le monde. Aux États-Unis seulement, on recense une cinquantaine de productions. Expliquez-vous ce succès par le caractère universel du sujet ?

M. T. Selon moi, cela ne tient pas à son propos (la famille ou l'inceste) mais à sa forme. La structure de la pièce est très éclatée : le personnage central, Serge, a cinq conversations en parallèle avec six membres de sa famille. En 1974, c'était assez nouveau comme procédé. Qui plus est, cette structure améliore le contenu de la pièce. Si je n'avais pas travaillé autant la forme, si mon écriture n'avait pas transcendé le quotidien, je pense que *Bonjour, là, bonjour* serait un mauvais mélodrame.

À la création, les critiques n'avaient pas remarqué cette dimension formelle, et ils ont qualifié la pièce de « Tremblay mineur ».

L. B. Encore ici, les protagonistes parlent sans arrêt pour cacher leur besoin d'amour. Pendant votre enfance, les femmes et les hommes de votre entourage parlaient beaucoup, mais ils exprimaient difficilement leur amour... Michel Tremblay voulait-il exprimer son amour à sa famille avec *Bonjour, là, bonjour* ?

M. T. En effet, j'ai écrit *Bonjour, là, bonjour* pour dire à mon père que je l'aimais. Il est mort en 1975. C'est la dernière pièce que mon père a vue. J'aurai donc attendu jusqu'à la toute dernière minute pour lui exprimer mon amour...

L. B. Quelle a été sa réaction ?

M. T. Mon père était très fier de ce que je suis devenu. Mais il ne me parlait jamais de ce que je faisais. Il n'était peut-être pas d'accord avec ce que j'écrivais, mais il était content de me voir bien gagner ma vie dans un domaine où c'est plutôt rare. À la création de *Bonjour, là, bonjour*, il avait déjà soixante-quinze ans. À l'instar de bien des gens de sa génération et de son milieu, il ne connaissait pas le théâtre. Naïvement, il interprétait tout au premier degré. Comme dans un téléroman. Pour lui, c'était un autre monde. Le soir où il est venu voir *Hosanna*, il m'a dit à la sortie du théâtre : « Y paraît que ça existe du monde de même ! »

L. B. Comme votre père, vous avez un problème de surdité. Depuis une opération subie en 1998, vous n'entendez plus que de l'oreille droite. Cela a-t-il changé votre vie ?

M. T. Paradoxalement, j'aime davantage le silence. Et je constate que les gens ont terriblement peur du silence. Surtout aux États-Unis. À Key West, tous les soirs, les touristes se rassemblent sur le quai Mallory, à l'extrémité ouest de l'île, pour regarder le soleil se coucher sur le golfe du Mexique. C'est le plus beau spectacle au monde, et il ne dure que dix minutes. Or voilà : les Américains sont incapables de le contempler en silence. Ils regardent le ciel au son d'un orchestre qui joue sans cesse une musique tonitruante...

L. B. Depuis plus de trente ans, vous avez formé une grande « famille » avec un groupe d'amis qui vous sont fidèles. Quelle est l'importance de l'amitié dans votre vie ?

M. T. Pour les homosexuels, la « famille », ce sont les amis. Jusqu'à l'âge de cinquante ans, j'angoissais à l'idée d'être seul avec moi-même. Je ne savais pas « demeurer en repos, seul, dans une chambre », comme disait l'écrivain Blaise Pascal à propos du malheur des hommes. Maintenant, je ne vois plus la solitude comme quelque chose de mauvais ou de négatif. J'ai même appris à aimer la solitude. Je peux être à Key West sans parler à quiconque des semaines durant. Je lis, j'écris, je nage, je fais du vélo. Quand j'ai commencé à moins entendre, j'ai perdu l'intérêt de me retrouver en société. À Montréal, je vais de moins en moins aux premières et aux cocktails de théâtre. À Key West, à l'exception de la visite de mes amis, je n'ai aucune vie sociale.

L. B. Vous m'avez confié que la plus belle production que vous avez vue d'une de vos pièces, c'est celle de la reprise de *Bonjour, là, bonjour* au Théâtre du Nouveau Monde, en 1980, sous la direction d'André Brassard. Mise en scène que ce dernier a reprise à la Compagnie Jean-Duceppe, en 1997. Depuis vos débuts, Brassard est le gardien du sens de votre œuvre dramatique. C'est aussi l'accoucheur scénique de vos pièces, car il dirige toutes vos créations. Est-ce trop exagéré de dire qu'il vous a mis au monde ?

M. T. Au départ, je dirais plutôt que nous nous sommes accouchés l'un l'autre. Quand on s'est rencontrés, en 1963, on a tout de suite fait du théâtre amateur ensemble. André était un petit génie. Découvrir son travail, dans les années soixante, c'était comme assister aux créations de Robert Lepage au milieu des années quatre-vingt. André Brassard a révolutionné la pratique théâtrale au Québec. S'il l'avait voulu, il aurait pu faire une grande carrière internationale.

L. B. Après *Les Belles-Sœurs*, sa feuille de route est assez impressionnante. Mais avant, que faisait-il ?

M. T. André Brassard a connu son premier succès à vingt ans, en montant *Les Bonnes* de Jean Genet, au Festival d'art dramatique. Et il a fondé et dirigé une troupe, le Mouvement contemporain, comme nous en avons déjà parlé. Mais c'est officiellement en 1968, avec *Les Belles-Sœurs*, qu'il a été lancé. Dans les années soixante-dix, il signait six à sept mises en scène par année au TNM, au CNA, à la NCT, au Quat'Sous, au Rideau Vert, au Trident, etc. On a souvent dit que nous étions fidèles l'un à l'autre. Or, pour moi, c'était davantage une question d'atomes crochus que de fidélité. Je souhaite un Brassard à tous les dramaturges du monde !

L. B. Dans les années quatre-vingt, cette collaboration avec Brassard est devenue moins intensive. Vous lui confiez toujours la création de vos pièces, mais vous cessez de faire des projets avec lui. Et, en dehors du travail, vous vous fréquentez de moins en moins. Que s'est-il passé ?

M. T. En 1981, André a déménagé à Ottawa pour diriger le Théâtre français du Centre national des Arts. Pour des raisons de distance, nous avons cessé de nous fréquenter tous les jours et commencé à faire des projets chacun de notre côté. Disons que la vie nous a éloignés mais pas séparés. Quand j'écris, je pense toujours à André. Il demeure le premier lecteur de mes pièces. En 1998, nous nous sommes retrouvés pour la création d'*Encore une fois, si vous permettez* avec la comédienne Rita Lafontaine.

L. B. En novembre 1987, le metteur en scène René Richard Cyr dirige une étonnante production de *Bonjour, là, bonjour* au Théâtre du Nouveau Monde, à Montréal. C'est la première fois qu'un jeune metteur en scène – il a alors vingt-neuf ans – aborde votre œuvre pour un grand théâtre institutionnel. Depuis, Cyr a dirigé les reprises d'*À toi, pour toujours, ta Marie-Lou* et d'*En pièces détachées*. A-t-il insufflé un vent de nouveauté à votre théâtre ?

M. T. Au Québec, René Richard Cyr a été le premier jeune metteur en scène à brasser la cage de mon théâtre. Étant d'une autre génération que Brassard et moi, il a, en effet, apporté une vision différente. Son approche est plus rock'n'roll, plus physique, et moins cérébrale que celle de Brassard. En voyant le travail de Cyr, j'ai cessé d'avoir peur que mon public vieillisse en même temps que moi. J'ai réalisé que mon théâtre pouvait être compris – et aimé – par une génération nouvelle. Cette impression s'est confirmée avec les mises en scène de Martine Beaulne, de Lorraine Pintal, de Serge Denoncourt et de Brigitte Haentjens, qui m'ont aussi agréablement surpris. Le plus beau cadeau que l'on puisse faire à un dramaturge, c'est de lui montrer différentes versions de ses pièces. De l'étonner avec son propre matériel. C'est la leçon du théâtre : un dramaturge écrit pour être créé par autrui.

EXTRAIT

BEC-DE-LIÈVRE. Y paraît que le jour de la mort de ses parents dans un accident de machine, Carmen était venue voir trois vues au Crystal. Trois westerns. Pis tout le temps qu'a'regardait les vues, Carmen sentait que quequ'chose d'important arriverait ce jour-là, y paraît. Pis en sortant du théâtre est-tait arrivée face à face avec Gloria qui était la grosse vedette de la Main dans ce temps-là. Y paraîtrait que Carmen arait dit à Gloria : « C'est vous qui chante des affaires en espagnol au coin de La Gauchetière ? Vous avez jamais pensé de chanter des chansons de cow-boy en français ? » Pis Gloria y'aurait répondu : « *Sorry, I dont speak French !* » En rentrant chez eux, c'te samedi soir là, Carmen avait décidé d'essayer de parler à sa mère, d'y dire qu'a'voulait pas continuer à travailler dans une manufacture, mais qu'a'voulait chanter. Mais en arrivant chez eux a'l'avait appris que Marie-Louise, sa mère, Léopold, son père pis son p'tit frère Roger venaient de se tuer dans un accident sur le boulevard Métropolitain. (...) Y paraît qu'au lieu de fondre en larmes, Carmen avait pris Manon dans ses bras en criant : « C'est un signe, Manon, c'est un signe que le ciel nous envoye ! Manon, aujourd'hui est notre jour de délivrance ! »

Sainte Carmen de la Main, acte II.

DISTRIBUTION À LA CRÉATION

Théâtre Maisonneuve, 20 juillet 1976

Carmen : Michelle Rossignol
Gloria : Carmen Tremblay
Bec-de-Lièvre : Amulette Garneau
Maurice : Denis Drouin
Tooth Pick : Marc Legault
Sandra : Normand Lévesque
Rose Beef : Louise Saint-Pierre

– 8 –

SAINTE CARMEN DE LA MAIN
(1975)

Le message politique
De l'échec au succès
Le secret de Jean Duceppe
Montréal dans l'œuvre de Tremblay

LUC BOULANGER : À l'origine de *Sainte Carmen de la Main*, votre intention était d'écrire une comédie musicale à l'américaine. Mais vous avez changé d'idée : *Sainte Carmen...* est devenue une tragédie grecque avec deux chœurs, composés de prostituées et de travestis, et deux coryphées, Sandra et Rose Beef. C'est une pièce sur la désillusion, la fin d'une utopie. Pourtant, vous avez affirmé que c'est une œuvre porteuse d'espoir...

MICHEL TREMBLAY : Le chœur est structuré d'après le premier chœur d'*Antigone*, de Sophocle, une de mes pièces préférées, toutes époques confondues. Il y a de l'espoir à la fin, car les chœurs connaissent les paroles des chansons de Carmen. Celles-ci survivront donc à sa mort. En général, je suis quelqu'un de défaitiste en ce qui concerne les questions politiques. Je déteste la politique, et je ne crois jamais les politiciens. Ma pièce la plus politique devait donc être une tragédie. Je ne pouvais pas faire un *happy end* où tous les personnages se libèrent à la fin. La seule façon de rester pur, c'est de tuer le héros ou l'héroïne.

L. B. En effet, vos intentions politiques sont assez évidentes... Et plutôt sombres. Tooth Pick tue littéralement le rêve de liberté et d'indépendance de Carmen. « Le jour de délivrance » n'arrive pas. « Le soleil ne se lèvera pas » sur la *Main*. Quelques mois avant les élections provinciales de 1976, qui ont mis le Parti québécois et son chef René Lévesque au pouvoir[1], *Sainte Carmen...* est interprétée comme un message aux Québécois de prendre leur destin en main. Vous avez même affirmé, à la création, que Carmen était « le premier personnage socialiste du théâtre québécois » !

M. T. C'était un message très gros et « gau-gauche » mais qui passait bien à l'époque. Depuis, je pense que cette pièce a très mal vieilli. Il y a vingt-cinq ans, on avait besoin d'entendre ces choses-là, et de les dire de cette façon-là. D'ailleurs, à mon avis, la fin de *Sainte Carmen...* prédisait la campagne de salissage que les souverainistes subiront, de la part des fédéralistes, après leur défaite au référendum de 1980.

L. B. Carmen abandonnera la musique western américaine pour chanter ses propres chansons. Elle tient un discours nationaliste qui s'apparente à celui des groupes et des chanteurs québécois de l'époque, comme Paul Piché, Harmonium, Octobre, Garolou et Beau Dommage. À l'heure où Céline Dion, Luc Plamondon, Robert Lepage ou les artistes du Cirque du Soleil exportent la culture québécoise, le contexte a beaucoup changé, n'est-ce pas ?

M. T. En effet, avec les succès de Robert Lepage, Gilles Maheu, Michel Marc Bouchard, Denis Marleau et Normand Chaurette, le théâtre québécois est devenu beaucoup plus présent sur la scène internationale. C'est très

---

1. Le 15 novembre 1976, le Parti québécois remporte les élections provinciales avec 41,4 % des suffrages et 71 députés à l'Assemblée nationale à Québec. C'est la première fois qu'un parti politique ayant dans son programme le mandat de faire l'indépendance du Québec est porté au pouvoir.

bien. Toutefois, si ce courant empêche des auteurs de parler de préoccupations plus locales, alors là, je suis contre. De la fièvre québécoise des années soixante-dix à la mode internationale actuelle, nous sommes passés d'un extrême à l'autre. Je sais que des étudiants en écriture dramatique, à l'École nationale de théâtre du Canada, se sont déjà fait reprocher d'écrire en joual ! C'est ridicule ! Empêche-t-on un jeune auteur parisien d'écrire en français parce qu'il est né après Molière ou Claudel ? L'écriture d'un pays, ce n'est pas seulement le portrait de son élite. C'est un éventail de toutes les couleurs, de toutes les possibilités d'écriture. Il y a de la place pour tous les styles. Sinon, ça devient de l'intégrisme culturel.

L. B. *Sainte Carmen de la Main* a été créée pendant les Jeux olympiques de Montréal. Il n'y a pas eu de générale, et la troupe n'était pas prête pour la première. Ce qui peut expliquer pourquoi le spectacle a été mal reçu. Il devait ouvrir la saison de la Compagnie Jean-Duceppe, en septembre 1976. Or voilà qu'après trois soirs de représentations, Jean Duceppe décide de tout annuler... Et sans vous avertir ! Quelle a été votre réaction en apprenant la nouvelle dans le *Journal de Montréal* ?

M. T. Généralement, quand ce genre de choses arrivent, je prends mon trou. Je voulais laisser faire, passer à autre chose. Mais Michelle Rossignol, qui jouait Carmen, a réuni toute la troupe chez elle, un soir, pour nous dire qu'on devait réagir. Je me rappelle très bien ses arguments : « *Sainte Carmen...* est une pièce sur la parole, on ne peut pas se taire et rester sans rien faire ! » Nous avons décidé de louer une salle sur le boulevard Saint-Laurent, qu'on a baptisée le Théâtre de la Main, et organisé des lectures de la pièce en autogestion. Et ç'a été un moment magique ! Voir des acteurs lire devant des lutrins, sur une scène sans décor, donnait une autre portée au texte. Le *Montreal Star* avait parlé d'un « *Small Miracle on the Main* ».

L. B. Deux ans plus tard, un autre miracle se produira : *Sainte Carmen...* connaît enfin un succès public et critique au Théâtre du Nouveau Monde. Qui a donné cette deuxième chance à la pièce ?

M. T. À ma grande surprise, le directeur artistique du TNM, Jean-Louis Roux – un fédéraliste notoire –, a décidé de produire la pièce. Un des grands bonheurs de ma vie, c'est de pouvoir réhabiliter des textes descendus par la critique à leur création. C'est le cas pour *Bonjour, là, bonjour* et *Sainte Carmen de la Main.* Quand j'ai revu, à Édimbourg, en écossais, *La Maison suspendue (The House Among the Stars),* j'ai réalisé que ce n'était pas si mauvais que ça. Il reste seulement à réhabiliter tout à fait *Messe solennelle...*

L. B. Près de dix ans se sont écoulés avant que vous ne retravailliez chez Duceppe (soit en 1985, avec *Le Gars de Québec,* une adaptation du *Revizor,* de Gogol). Et quinze ans avant la création d'une de vos pièces. Quelles étaient vos relations avec cet acteur et personnage imposant qu'était Jean Duceppe ?

M. T. À l'automne 1976, je suis allé trois mois à Paris. Et j'ai tenté d'oublier l'échec de *Sainte Carmen...* en me plongeant dans l'écriture de *Damnée Manon, sacrée Sandra.* Après mûre réflexion, j'ai rédigé une longue lettre à monsieur Duceppe. Je lui expliquais que je me sentais trahi, que j'aurais aimé connaître ses intentions avant qu'il ne décide d'annuler la production. Il m'a répondu par une très belle lettre. Nous nous sommes vite réconciliés. Mais, encore aujourd'hui, j'ignore pourquoi il a retiré la pièce de l'affiche. Il aimait profondément le texte – c'était un souverainiste convaincu. Est-ce qu'il n'aimait pas la production ou la mise en scène de Brassard ? Craignait-il un flop à cause des mauvaises critiques ? Ou tout ça à la fois ? Monsieur Duceppe est parti avec son secret...

L. B. L'action se situe au cœur de la ville, dans le Red Light, au milieu de la faune nocturne. Montréal est un personnage à part entière de l'ensemble de votre œuvre littéraire. Quel rapport entretenez-vous avec la métropole québécoise ?

M. T. Montréal a beaucoup changé en un demi-siècle. Quand j'étais adolescent, Montréal était une ville anglo-saxonne, c'était une ville fermée, une ville d'hiver. Quand il faisait chaud, ma famille et moi, on s'assoyait sur notre balcon, mais les Anglais, eux, ne s'assoyaient jamais sur leurs balcons. Depuis les années soixante-dix, Montréal a peu à peu accepté sa latinité, et c'est devenu une ville ouverte, une ville d'été. Durant mon adolescence, la vie à l'extérieur, les terrasses rues Saint-Denis et Prince-Arthur, c'était impensable. Les Anglo-Saxons, c'est dans leur sang, ils se cachent pour boire, alors que les Latins, c'est le contraire. Cette vie de rue, cette *dolce vita*, voilà une chose bien étonnante dans un pays où le beau temps ne dure que trois ou quatre mois par année et où les arbres n'ont pas de feuilles pendant huit mois !

L. B. Vos personnages les plus célèbres sont Albertine, Marcel, Thérèse, Nana et Germaine Lauzon. Or, vous m'avez confié que Bec-de-Lièvre (créée par Amulette Garneau) était un de vos personnages préférés. Pourtant, il s'agit d'une figure secondaire dans votre œuvre. Pourquoi elle plutôt qu'un autre personnage, plus imposant ?

M. T. C'est un personnage très touchant. C'est l'habilleuse de Carmen et elle lui est entièrement dévouée. Cette forme de dévotion me touche et me choque en même temps. C'est aussi la première lesbienne de mon théâtre qui compte sa part de marginaux. J'ai de bonnes amies qui sont lesbiennes, et je suis fasciné par leur dynamique de couple. Ces femmes, qui ont souvent cassé les moules et lutté contre le sexisme, deviennent elles-mêmes des mères au service de leurs blondes. L'amour servile de Bec-de-Lièvre pour Carmen, puis pour Thérèse dans les *Chroniques...*, est un peu la caricature de ce phénomène.

L. B. Sur les ordres de Maurice, Tooth Pick tue Carmen et aussi la Duchesse. C'est un peu surprenant qu'un jeune auteur élimine aussi tôt deux personnages d'une telle importance dans son œuvre...

M. T. La Duchesse en savait trop et elle était devenue dangereuse. C'est un avertissement que Maurice lance à Carmen, car il est prêt à sacrifier tout le monde pour rester le roi, même sa blonde. Il fait flèche de tout bois. Or, Carmen lui tient tête. Elle veut être la reine. Elle dit à son amant : « J'pourrais ben passer du creux de ton lit à la tête de tes ennemis. » C'est donc un combat entre le *king* et la *queen* de la *Main.* Politiquement, pour gagner sa bataille, Maurice se devait d'éliminer Carmen. Et ainsi tuer toute espérance de changement.

EXTRAIT

SANDRA. C'est incroyable à quel point la rue Fabre a pas changé. Juste vieilli un peu. Mais pas changé. Pantoute. La bonne moitié de mes amis d'enfance, les filles surtout, sont restés icitte, se sont mariés icitte pis ont faite des enfants qui nous ressemblent. J'ai souvent l'impression de voir ma gang jouer dans'ruelle... pendant qu'une voisine avec qui j'ai joué aux fesses y'a un quart de siècle tricote à côté de moé en me racontant c'que j'sais quasiment mieux qu'elle sur son enfance qui est par le fait même la mienne : nos jeux, nos joies, notre grand bonheur d'être petits pendant les années cinquante et bruyants et Maîtres du Monde ! *(Silence.)* Avoir été un enfant sur la rue Fabre, c'est un privilège qui laisse une trace indélébile. *(Silence.)* Mais je suppose que c'est aussi vrai pour partout ailleurs, excepté que j'y étais pas. *(Silence.)*

Damnée Manon, sacrée Sandra

DISTRIBUTION À LA CRÉATION

Théâtre de Quat'Sous, 24 février 1977

Manon : Rita Lafontaine
Sandra : André Montmorency

– 9 –

DAMNÉE MANON, SACRÉE SANDRA

(1976)

Rita Lafontaine, muse de Tremblay
La fin d'une époque et d'un cycle théâtral
La genèse des Chroniques du Plateau-Mont-Royal

LUC BOULANGER : *Damnée Manon, sacrée Sandra* est votre dixième pièce en onze ans ! À la création, des commentateurs ont prédit qu'elle était la dernière pièce du puzzle de Michel Tremblay, car elle annonçait la fin du monde de Michel Tremblay. C'est une pièce en un acte avec seulement deux personnages. Elle s'ouvre sur deux besoins importants des êtres humains : croire et baiser. Manon, une vieille fille prude, parle de religion de façon très cochonne ; Sandra, un travesti vulgaire, disserte sur le cul de façon très mystique. Est-ce que ce sont les deux visages d'un même délire ?

MICHEL TREMBLAY : Quand j'ai écrit le premier jet, je voulais que le travesti parle de religion et la bigote, de cul. Les répliques de Manon étaient dites par Sandra, et vice versa. André Brassard a fait une première lecture chez lui, avec Rita Lafontaine et André Montmorency – puis une deuxième, au Quat'Sous, devant Odette Gagnon, Paul Buissonneau et Linda Gaboriau. Nous avons discuté de la proposition après la lecture. La comédienne Odette Gagnon m'a convaincu de faire la version actuelle, en arguant que j'allais priver Rita Lafontaine et André Montmorency de deux grandes interprétations. Car Rita serait visiblement meilleure en Manon ; et André, en Sandra. En effet, ils étaient tous les deux remarquables.

L. B. La comédienne Rita Lafontaine est la muse de votre théâtre. Elle a joué dans toutes vos pièces où il y a des personnages féminins (à l'exception de *Demain matin, Montréal m'attend*) ! Elle a créé Albertine, dans *Cinq*, en 1966, et l'a rejoué vingt ans plus tard dans *Albertine, en cinq temps*. Comment l'avez-vous connue ?

M. T. À l'automne 1964, au restaurant Le Sélect, au coin des rues Sainte-Catherine et Saint-Denis, j'étais assis sur une banquette près de la fenêtre, quand André Brassard est arrivé avec Rita Lafontaine. Et je l'ai tout de suite aimée ! Nous venions d'aller voir la comédienne française Danielle Delorme dans *L'Annonce faite à Marie*, de Claudel, à la salle du Gesù. Après la pièce, André m'avait donné rendez-vous au Sélect. Au milieu des années soixante, Rita, André et moi, nous formions un trio inséparable.

L. B. Rita Lafontaine affirme que le premier texte qu'elle a lu de vous, c'est *Quintette*, dans *Cinq*, alors que Brassard la dirigeait dans *Les Troyennes*, au Théâtre des Saltimbanques, dans le Vieux-Montréal. Est-ce dans cette dernière pièce que vous avez vu Rita Lafontaine jouer au théâtre pour la première fois ?

M. T. Non. La première fois que j'ai vu Rita au théâtre, c'était dans *François Villon, poète*, montée par Brassard pour le Mouvement contemporain. Elle m'a tellement ébloui que c'était logique que je lui écrive des rôles plus tard.

L. B. *Damnée Manon, sacrée Sandra* est une succession de monologues entrecroisés entre les deux personnages. Vous êtes un grand dialoguiste, mais vous recourez souvent aux monologues. Comment vous servez-vous de l'un et de l'autre ?

M. T. Les dialogues me servent à exprimer les choses réalistes, alors que les monologues me permettent de *flyer*. Je trouve les dialogues plus amusants à écrire, mais les monologues sont plus beaux. Un personnage seul peut mieux faire fonctionner le moteur du lyrisme théâtral. Les monologues sont plus théâtraux que les dialogues, car moins réalistes. Quand un personnage parle tout seul, c'est son âme qui s'exprime.

L. B. Les monologues sont donc un autre moteur du texte. Grâce à eux, Manon et Sandra peuvent tendre vers un absolu à la fin de la pièce ?

M. T. Les élans de mes personnages vers l'absolu sont freinés par l'idée de leur finalité. Je pense que toutes les religions sont nées à cause de notre peur de la mort. Certains auteurs catholiques (comme Claudel) ne fixent aucune limite aux états d'âme de leurs personnages. Mais un auteur non croyant doit trouver des réponses humaines aux états d'âme de ses personnages. Quelque part, il y a un plafond, la mort, impossible à défoncer.

L. B. En 1991, pour l'ouverture de la nouvelle salle du Théâtre d'Aujourd'hui, rue Saint-Denis, l'ex-directrice Michelle Rossignol a programmé *La Trilogie des Brassard* (*Marie-Lou, Sainte Carmen...* et *Damnée Manon, sacrée Sandra*). En mettant en scène les membres de la famille de Léopold Brassard, ces pièces forment un petit cycle à l'intérieur du grand cycle des *Belles-Sœurs*. Mise à part cette production, *Damnée Manon, sacrée Sandra* reste toutefois peu représentée depuis sa création.

M. T. C'est à cause de l'aspect religieux, ultra-catholique, du texte. La religion touche moins de gens au Québec aujourd'hui. De nos jours, les jeunes, qui n'ont pas connu le Québec très catholique des années quarante et cinquante, avec le pouvoir du clergé, trouvent très drôle, voire incompréhensible, la dévotion de Manon dans la pièce. Pour moi, Manon est un point final sur cette époque. Et la fin d'un cycle théâtral.

L. B. À la fin, les monologues de Sandra et de Manon se fondent en un même cri de liberté. Les deux personnages ne sont plus qu'une créature « inventée-par-Michel », qui monte vers la lumière. Ils avouent qu'avoir été « un enfant sur la rue Fabre, c'est un privilège qui laisse une trace indélébile ». Pourquoi l'auteur décide-t-il tout à coup de s'exprimer directement par la bouche de ses personnages ?

M. T. Depuis quelque temps, je voulais dire au monde de ne pas prendre au premier degré tout ce que j'écris. Après tout, cette œuvre n'est que la vision de l'auteur sur sa société, sa version à lui des choses, et les autres versions sont tout aussi valables. Depuis onze ans, j'avais tout fait pour me cacher derrière mes personnages. Ici, j'ai créé cette dichotomie entre les deux personnages pour montrer que l'auteur est toujours au cœur de ce qu'il écrit. Après dix pièces, je faisais un bilan en somme.

L. B. Il faudra attendre trois ans et trois mois avant de voir une nouvelle création de Michel Tremblay. Étiez-vous dans une période de remise en question ?

M. T. En effet, j'avais trente-cinq ans et je n'avais aucune idée de là où je m'en allais... J'étais en profond questionnement. Je pensais m'éloigner du théâtre pour faire autre chose : du cinéma, des romans ou de la télévision. Je venais de terminer deux scénarios de films : *Parlez-nous d'amour* et *Le soleil se lève en retard*. Mais je me suis vite rendu compte que le cinéma est un art où l'argent compte plus que le talent. J'envisageais d'écrire un roman important. (J'avais déjà écrit un récit fantastique, *La Cité dans l'œuf*, et un roman à la première personne, *C't'à ton tour, Laura Cadieux* ; mais je les considère comme des œuvres mineures.) Je voulais me mesurer à quelque chose de majeur. Tout en sachant que bien des dramaturges, comme Tennessee Williams ou Marcel Dubé, ont eu souvent des projets d'un grand roman qu'ils ne terminent jamais. De plus, physiquement, je me sentais mal. Je me trouvais gros. Je voulais perdre du poids. J'ai même suivi un régime avec les Weight Watchers ! En deux mots, j'étais très déprimé.

Le soir de la première de *Damnée Manon, sacrée Sandra*, j'avais sincèrement la conviction que je n'écrirais plus pour le théâtre. À la tombée du rideau, j'ai pris plus de temps que d'habitude avant d'aller dans les loges. Pourtant, tout avait été remarquable : Rita Lafontaine et André Montmorency avaient joué de façon grandiose. Les critiques, le lendemain, ont été dithyrambiques. Mais je suis allé rejoindre Brassard et les comédiens avec une boule d'angoisse dans la poitrine. Pour la première fois de ma carrière, je n'ai pas regardé André dans les yeux en lui disant : *Next* !

L. B. Cette période de remise en question sera finalement bénéfique. Elle vous permettra d'amorcer, en 1978, *La Grosse Femme d'à côté est enceinte*, le premier tome des *Chroniques du Plateau-Mont-Royal*, votre grande œuvre romanesque. Quel a été son déclencheur ?

M. T. Je voulais fouiller dans la genèse de mes personnages, dont j'avais écrit l'apocalypse. J'essayais de comprendre comment ces personnages étaient devenus les monstres qu'ils sont dans mes pièces. J'ai donc décidé de tous les rajeunir de vingt-cinq ans. Enfants ou jeunes adultes, ils peuvent croire encore au bonheur, aux rêves. Et j'ai toujours dit que les derniers tomes des *Chroniques...* viendraient, chronologiquement, juste avant *En pièces détachées*. Et je l'ai fait : *Un objet de beauté* se passe en 1963, au moment où Albertine va placer Marcel à l'asile.

L. B. Vous saviez donc, en commençant *La Grosse Femme...*, que ce serait le premier tome d'une série...

M. T. Au début, non. Mais en développant *La Grosse Femme...*, j'ai constaté que je ne pourrais pas tout dire en un volume. Puis, en 1980, quand j'ai commencé *Thérèse et Pierrette...*, j'ai su que j'avais assez de matériel pour en faire une saga qui se terminerait en 1965.

L. B. Est-ce qu'en transposant ces personnages dans l'univers romanesque des *Chroniques...*, l'auteur croyait les éliminer de son théâtre ?

M. T. Effectivement, je pensais vraiment en avoir fini avec eux sur la scène. D'ailleurs, pendant six ans, je n'ai écrit aucune pièce avec un des membres de la famille d'Albertine. En 1983, je voulais développer une nouvelle structure pour *Albertine, en cinq temps.* J'ai pris le personnage que je connaissais le plus. Il ne faut jamais dire : « Fontaine, je ne boirai pas de ton eau »...

EXTRAIT

LUC. Chus tanné de patiner, de tergiverser pis de répondre par des demi-mensonges quand on m'interviewe ! Chus tanné de parler à des journalistes qui savent très bien que chus gai mais qui insistent quand même pour que j'leur parle de mes blondes ! Chus surtout tanné que le monde pense que chus vraiment en amour avec la fille qui joue ma blonde dans le programme ! Pis elle aussi ! Des fois j'ai envie de donner une interview oùsque j'dirais une fois pour toutes que chus homosexuel, ça réglerait le problème !

Les Anciennes Odeurs

DISTRIBUTION À LA CRÉATION

L'Impromptu d'Outremont

Théâtre du Nouveau Monde, 11 avril 1980

Fernande Beaugrand-Drapeau : Monique Mercure
Lorraine Ferzetti : Ève Gagnier
Lucille Beaugrand : Rita Lafontaine
Yvette Beaugrand : Denise Morelle

Les Anciennes Odeurs

Théâtre de Quat'Sous, 4 novembre 1981.

Luc : Hubert Gagnon
Jean-Marc : Gilles Renaud

– 10 –

L'IMPROMPTU D'OUTREMONT

(1980)

LES ANCIENNES ODEURS

(1981)

Incursion chez les bourgeois
Oser dire l'amour gai
La génération d'auteurs post-Tremblay

LUC BOULANGER : Comédie dramatique des mœurs bourgeoises, *L'Impromptu d'Outremont* est une satire de l'élite culturelle, symbolisée par la ville d'Outremont. Drame intimiste et sentimental, *Les Anciennes Odeurs* est un huis clos homo et intello. Ces textes représentent une parenthèse au centre de votre œuvre dramatique. Pourquoi avoir soudain changé de milieu social ?

MICHEL TREMBLAY : Dans le cas de *L'Impromptu d'Outremont*, c'est ma seule pièce qui n'est pas venue d'un besoin viscéral d'exprimer quelque chose, mais plutôt d'une réaction à mon entourage. En 1979, j'habitais Outremont depuis cinq ans. J'avais acheté une maison, rue Davaar, où l'on trouve de magnifiques balcons dont personne ne se sert, car ça fait trop « pauvre », trop « balconville »... Tous les matins, je m'assoyais sur le balcon afin de lire le journal et de boire un café. Et ma voisine d'en face pensait que je l'espionnais ! Elle trouvait ça suspect de voir un voisin assis sur son balcon ! Cela a confirmé mes préjugés à propos de la bourgeoisie outremontaise.

L. B. André Brassard a déjà dit que vous étiez « un fils d'ouvrier avec des goûts de bourgeois ». Plus jeune, vous vous sentiez rejeté par l'élite culturelle montréalaise.

Vous vous croyiez jugé par celle-ci. Votre rapport avec elle semble un peu paradoxal. Car la bourgeoisie (du moins celle, catholique et canadienne-française, des années cinquante et soixante, qui envoyait ses enfants au collège Jean-de-Brébeuf ou au collège Sainte-Marie pour en faire des juges, des médecins ou des prêtres) habitait justement Outremont ! Vous semblez attiré par ce milieu social...

M. T. Ce n'est pas la bourgeoisie que j'aime, mais sa CULTURE. Longtemps, on m'a indiqué qu'elle n'était pas pour moi. J'ai donc réagi au snobisme en fuyant la compagnie de l'élite. Je ne vais d'ailleurs plus à l'opéra ni aux concerts de musique symphonique.

L. B. En 1974, vous avez quitté le Plateau-Mont-Royal pour la rue Davaar, dans le quartier de l'élite québécoise francophone, à deux pas de l'ancienne maison d'Hubert Aquin. En 1989, vous déménagez au carré Saint-Louis, autre symbole de la bourgeoisie canadienne-française, à quelques portes de la résidence où a vécu Émile Nelligan au début du siècle. Puis, à partir de 1992, vous résidez six mois par année à Key West, en Floride. Excusez-moi d'insister, mais n'est-ce pas là un mode de vie bourgeois ?

M. T. On m'a souvent reproché d'avoir renié mes origines. Pourtant, je n'ai jamais changé de mentalité. Depuis trente-cinq ans, je fréquente les mêmes amis. Je n'ai pas choisi Outremont, mais une maison à Outremont. Je n'ai pas déménagé au carré Saint-Louis, mais dans un penthouse qui me plaisait dans ce quartier. Certes, je gagne bien ma vie. Mais la bourgeoisie, ce n'est pas un gros compte en banque, mais une façon de penser. Je suis confortable dans ma maison à Key West, ou mon appartement à Montréal, mais je ne me sens pas bourgeois pour autant.

J'ai toujours été un *misfit* chez les bourgeois. En 1980, pendant le référendum, j'ai peint mon balcon aux couleurs du drapeau du Québec. Non seulement j'avais accroché une affiche du camp du Oui, mais mon balcon était bleu et blanc ! Imaginez la réaction de ma voisine... Par-delà les classes sociales, la bourgeoisie, c'est une attitude. Par exemple, la comédienne et ancienne directrice artistique du Rideau Vert, feu Yvette Brind'Amour, est née en bas du pont Jacques-Cartier, dans le quartier Centre-Sud à Montréal. Toute sa vie, elle s'est donné la mission de faire oublier ses origines modestes.

Comprenez-moi bien : je ne veux pas passer pour un « ouvrier de la culture ». Au contraire, j'ai la chance inouïe de pouvoir bien gagner ma vie comme écrivain dans un petit pays comme le Québec. Et c'est suspect, un artiste qui fait de l'argent, au Québec. Pourtant, il existe un tas de métiers et de domaines où les gens deviennent riches du jour au lendemain. Et ils symbolisent des *role models.* Tandis que nous reprochons aux artistes de faire de l'argent ! Comme si on voulait les culpabiliser de leur succès.

L. B. Pourquoi des gens qui détestaient votre théâtre ont-ils commencé à vous prendre au sérieux avec *L'Impromptu d'Outremont* ?

M. T. Je me souviens que des snobs ont aimé *L'Impromptu d'Outremont.* Mais pour les mauvaises raisons... « Enfin Tremblay écrit en français », disaient-ils. Les snobs vont au théâtre pour voir de belles robes (sur la scène et dans la salle) et de beaux décors. Ils veulent entendre de belles phrases. Mais ils ne se forcent surtout pas pour comprendre les intentions d'un auteur. Longtemps, à Montréal, des acteurs ont joué le théâtre de Marivaux sans jamais creuser sous le texte. Ils faisaient de Marivaux un auteur volage et superficiel. Alors que ce dernier a écrit des drames épouvantables sur l'argent, le pouvoir et l'amour. Il a fallu attendre le travail d'artistes comme Brassard et, plus tard, du metteur en scène

Claude Poissant pour que des productions québécoises proposent enfin un autre sens au théâtre de Marivaux.

L. B. *L'Impromptu d'Outremont* dépeint la chute d'une élite à travers le portrait de quatre sœurs, à l'occasion de l'anniversaire de l'une d'elles. Lors de notre entretien à propos des *Belles-Sœurs* et de l'affaire Kirland-Casgrain, vous m'avez dit considérer que cette élite s'est retirée du combat artistique à la fin des années soixante. Avec cette pièce, cherchiez-vous à faire entendre, ironiquement, la « fausse voix » de cette élite ? Est-ce une tentative de réconciliation avec elle ?

M. T. J'ai fait le contraire d'un véritable impromptu[1]. Dans *L'Impromptu de Versailles*, Molière critiquait les tartuffes qui n'aimaient pas son théâtre. Ici, les personnages parlent contre le genre de théâtre que je fais. C'est davantage un drame bourgeois qu'un impromptu, ou ce que les Anglais appellent *a conversation piece.* Contrairement à mes autres pièces, le décor et les costumes étaient excessivement réalistes. Il y avait même un foyer avec un vrai feu ! C'est la seule fois que Brassard a utilisé le rideau de scène pour une de mes pièces. On était loin de mes pièces allégoriques.

L. B. La pièce est créée pendant la campagne référendaire au printemps 1980. Une période où la population québécoise est profondément divisée. Une des quatre sœurs de *L'Impromptu* se nomme Yvette. L'analogie avec la polémique « des Yvette » était inévitable[2]. Votre pièce

---

1. « Une petite pièce composée sur-le-champ et, en principe, sans préparation, pour dénoncer quelque chose. » *Le Petit Robert*

2. En 1980, Lise Payette avait dit au sujet des femmes qui songeaient à voter Non au référendum, qu'elles étaient des « Yvette ». La ministre du gouvernement du Parti québécois faisait référence au personnage d'une enfant dans un manuel scolaire de l'après-guerre qui était élevée de façon à être une parfaite épouse et une bonne ménagère à la maison. Lise Payette avait qualifié d'Yvette

met en scène des personnages aveuglés par leur confort. Indifférentes aux changements sociaux, réactionnaires, ces femmes ressemblent aux Yvette. Au lendemain du 20 mai 1980, les souverainistes peuvent facilement interpréter les raisons de leur défaite en pointant du doigt Fernande Beaugrand-Drapeau et ses sœurs. Pour un auteur n'aimant pas le théâtre politique, il s'est passé quelque chose de singulier qui se rapprochait de ce genre de théâtre...

M. T. André Brassard et moi, nous avons eu la chance d'être au bon endroit, au bon moment. Effectivement, le 21 mai 1980, la pièce a pris tout son sens. Le texte correspond à un moment particulier de l'histoire du Québec. Les gens avaient besoin d'entendre ces paroles-là. Ils réagissaient à chacune des répliques, en criant comme dans un show rock ! À la fin, c'était l'ovation debout !

L. B. Depuis 1980, il en a coulé de l'eau, des référendums et des querelles sous le pont constitutionnel canadien. *L'Impromptu d'Outremont* aurait-il moins d'impact vingt ans plus tard ? Quelle lecture de la pièce faites-vous maintenant ?

M. T. J'avais oublié son côté comique. Certaines scènes sont drôles aux deux répliques. Et l'humour fait bien passer le reste : il donne un autre sens à l'histoire. Mais cela reste assez local. Bernard Faivre d'Arcier, le directeur du Festival d'Avignon, qui aime bien ce que je fais, était venu voir *L'Impromptu...* au TNM. Et il avait trouvé ça d'un ennui total. Ça lui rappelait les pièces de boulevard du théâtre privé à Paris ; les drames bourgeois signés Françoise Dorin. Brassard et moi, nous lui avons

---

Madeleine Ryan, la femme du chef libéral et président du Comité du Non, Claude Ryan. Cette déclaration avait suscité une levée de boucliers et contribué à la victoire du Non.

expliqué le contexte et les raisons de créer une telle pièce au Québec. En vain...

L. B. En 1981, avec *Les Anciennes Odeurs*, vous poursuivez dans le genre *conversation piece*. La mise en scène d'André Brassard était très feutrée. Même chose pour le jeu de Gilles Renaud et d'Hubert Gagnon. Le décorateur François Laplante avait installé une toile transparente à l'avant-scène. Les spectateurs du Théâtre de Quat'Sous voyaient la pièce comme à travers un tamis. D'où vous est venu le besoin d'aborder un sujet aussi intime que celui traité dans *Les Anciennes Odeurs* ?

M. T. En général, j'écris des pièces vindicatives, violentes et revendicatrices. Ici, j'ai fait une pièce chuchotée. Elle met en scène deux anciens amants, Jean-Marc et Luc, qui se retrouvent trois ans après leur séparation. Ils se disent des choses graves en parlant tout bas. Ils ne sont plus émotifs ou passionnés par rapport à leur ancienne relation. Ils peuvent se parler de leurs blessures du passé sans se crier par la tête. En 1994, une troupe a monté *Les Anciennes Odeurs* dans un petit café-théâtre de la rue Saint-Jean, à Québec. Comme les spectateurs, les deux acteurs étaient assis autour d'une table. Cela amplifiait davantage le caractère intimiste. C'est une pièce très pacifique, voire monocorde. Elle dit des choses simples mais rarement exprimées au théâtre, parce qu'elles ne sont pas assez dramatiques.

L. B. Jusqu'ici, vous proposiez des personnages inspirés des figures de votre jeunesse. Pourquoi avoir attendu seize ans et votre treizième pièce avant de représenter votre univers adulte ?

M. T. Je ne trouvais pas mon quotidien assez excitant pour le mettre sur une scène. Il n'y a pas de pièce sur les couples hétérosexuels heureux, pourquoi écrire une pièce sur un couple gai heureux ? Jusqu'au jour où je me suis séparé de mon chum. Et *Les Anciennes Odeurs* s'inspirent de cette rupture douloureuse. C'est une époque de ma vie où je remettais en question la sincérité des relations amoureuses. J'avais l'impression d'avoir raté ma vie affective...

L. B. Avec Luc et Jean-Marc, vous représentez des personnages gais avec lesquels tout le monde – hommes ou femmes, homosexuels ou hétérosexuels – peut s'identifier. On est loin de la Duchesse ! L'histoire de Luc et de Jean-Marc – comme en témoignent des lettres que vous avez reçues – a bouleversé autant des mères de famille du Lac-Saint-Jean que des jeunes hommes dans le Village gai à Montréal.

M. T. En effet, il y a autant d'hétérosexuels que d'homosexuels qui ont été bouleversés par *Les Anciennes odeurs*, *Le Cœur découvert*, ou par le vieux couple gai dans *Messe solennelle...* Le milieu gai, surtout au Canada anglais, m'a longtemps reproché de ne pas être assez militant, de ne pas écrire des pièces ou des livres « gais », comme le fait le dramaturge new-yorkais Larry Kramer, qui préconise un théâtre engagé, agressif, pour dénoncer l'homophobie dans la société américaine. Pour ma part, je ne crois pas que la littérature de fiction existe pour revendiquer des causes politiques ou sociales. Mais pour transposer et transcender la réalité.

L. B. Quelles étaient vos intentions avec *Les Anciennes Odeurs* ? Il y a un désir de paix, de sérénité, de sagesse...

M. T. J'ai voulu faire l'envers de *Qui a peur de Virginia Woolf ?* d'Edward Albee : montrer un couple qui se retrouve, trois ans après leur séparation, pour faire la paix. Je ne voulais pas écrire un *Marie-Lou* gai. Car le théâtre compte son lot de pièces traitant des problèmes de couple ou de misère conjugale. Parfois, en écrivant une pièce, par exemple *Messe solennelle...*, je m'arrache le cœur et je pleure énormément. Avec *Les Anciennes*

Odeurs, je me suis fait du bien. J'ai eu l'impression de boire un bon verre d'eau.

L. B. La pièce a été mal reçue par la critique. Depuis, elle est négligée par les directeurs artistiques des compagnies, qui ne la remettent jamais à l'affiche. Est-ce une pièce que vous désirez oublier ?

M. T. Non. Certes, ce n'est pas ma meilleure, mais ce n'est pas une mauvaise pièce pour autant. J'aimerais la revoir un jour. Pour moi, elle contient des choses essentielles et très belles sur les relations amoureuses et le couple gai ou hétéro...

L. B. Et elle contient beaucoup de « messages ». Luc et Jean-Marc abordent plusieurs sujets sociaux, politiques et amoureux. Cela ressemble à un bilan ; celui d'un homme au mitan de sa vie.

M. T. À quarante ans, les bilans se font qu'on le veuille ou pas. Dans *Les Anciennes Odeurs*, j'ai mis tout ce que je connaissais du milieu gai. Comme j'ai utilisé pour *Les Belles-Sœurs* tout ce que je savais sur les femmes de mon enfance.

L. B. À la suite de la création des *Anciennes Odeurs*, plusieurs pièces traitant de l'homosexualité masculine ont pris l'affiche à Montréal. Mentionnons *La Contre-nature de Chrysippe Tanguay, écologiste* et *Les Feluettes* de Michel Marc Bouchard ; *Provincetown Playhouse* de Normand Chaurette ; *Being at home with Claude* de René-Daniel Dubois, parmi tant d'autres. Existe-t-il vraiment une « mafia rose » dans le théâtre québécois, comme certains auteurs l'ont affirmé au cours des années quatre-vingt ?

M. T. À ma connaissance, un metteur en scène ou un producteur gai n'a jamais empêché un acteur hétérosexuel de travailler. Alors que le contraire est arrivé des centaines de fois ! À la télévision et dans le domaine de la publicité, si un producteur apprend qu'un acteur X est « comme ça », il décide parfois de le remplacer par un acteur hétérosexuel... C'est arrivé à des acteurs que je connais.

L. B. Mais dans les années quatre-vingt, le théâtre québécois représentait beaucoup la réalité homosexuelle. Comment expliquez-vous cette conjoncture ?

M. T. Les hétérosexuels écrivent sur leurs histoires d'amour depuis deux mille cinq cents ans ! Ils ont des tonnes de pièces, de romans, de films, de chansons... On ne reproche pas à Shakespeare d'avoir écrit *Roméo et Juliette*, ou à Albert Cohen d'avoir fait *Belle du Seigneur*. Georges Simenon a pondu quatre cent cinquante polars hétérosexuels ! Pourquoi donc critiquer un auteur gai qui transpose sa vie amoureuse ou sentimentale dans une œuvre de fiction ?

L. B. Comparés à vos personnages flamboyants et marginaux, Luc et Jean-Marc sont deux hommes très ordinaires. Presque insipides. Jean-Marc, un professeur de cégep sans panache, est même assez ennuyant, dramatiquement parlant...

M. T. Et je le voulais ainsi ! Jean-Marc, c'est moi dans la vie. Je ne suis pas un homme excitant ni flamboyant. Jean-Marc est un personnage plate et rangé qui exprime de belles choses. C'est dommage pour le comédien Gilles Renaud, car il défendait un personnage sans éclat, surtout en comparaison de Cuirette qu'il avait créé en 1973 !

Jean-Marc, c'est le spectateur de sa famille ; l'espion que j'étais dans la rue Fabre. Enfant, j'écoutais et j'enregistrais tout. D'ailleurs, Jean-Marc est plus intéressant dans les romans qu'au théâtre. Dans *La Grosse Femme d'à côté est enceinte*, en 1978, j'annonce que « le garçon bien ordinaire de la Grosse Femme va raconter les grandeurs et les misères de sa famille ». En général, les écrivains imaginent des aventures qu'ils se refusent à eux-mêmes. Ils inventent des histoires au lieu de les vivre. Si j'avais été aussi intense et coloré que les autres membres de ma famille, je n'aurais jamais écrit *Les Belles-Sœurs*...

L. B. Au début des années quatre-vingt, la domination de votre œuvre dans le théâtre québécois a été un peu contestée. De nouvelles écritures ont émergé. Les auteurs ont pris leurs distances par rapport au joual. Cette décennie a vu l'arrivée de metteurs en scène qui défendaient une autre conception du théâtre que la vôtre : Robert Lepage, Denis Marleau, Alice Ronfard, Lorraine Pintal, Martine Beaulne, Yves Desgagnés... Avec les années quatre-vingt-dix, les spectacles iconoclastes de Dominic Champagne, Alexis Martin et Wajdi Mouawad sont assez cyniques face à la culture des baby-boomers.

M. T. Au Québec, la culture n'est plus une chasse gardée, comme dans les années cinquante et soixante. Ma génération est la première qui n'a pas été complètement reniée par ses cadets. Bien sûr, les jeunes auteurs écrivent des pièces différentes des miennes. Ils proposent de nouvelles choses. Mais, contrairement à ce que j'ai fait au début de ma carrière, les jeunes auteurs ne créent pas en réaction aux œuvres des aînés. Ils veulent simplement prendre leur place à eux. Et la relève du théâtre québécois, avec, par exemple, un auteur comme Serge Boucher, est en très bonne santé.

L. B. En effet, des créateurs de théâtre, comme Normand Chaurette ou Gilles Maheu, ont déjà affirmé que Tremblay les a mis au monde. Un phénomène comme le succès des *Belles-Sœurs* peut rassurer un jeune auteur. Il peut se dire : si c'est arrivé à Tremblay, ça peut m'arriver à moi aussi. À vingt ans, Michel Tremblay écrivait pour qui et pourquoi ?

M. T. Je n'avais pas vraiment de modèles. À vingt ans, j'écrivais pour réagir au théâtre de monsieur Gélinas et de monsieur Dubé. Je trouvais qu'ils n'allaient pas assez loin dans la forme et dans le langage.

L. B. Gratien Gélinas et Marcel Dubé étaient deux figures dominantes du théâtre populaire québécois avant votre succès. Ces auteurs ont-ils bien accueilli votre arrivée ? Ou se sentaient-ils plutôt menacés par vous ?

M. T. Avec monsieur Gélinas, j'avais la bonne relation d'un petit-fils et de son grand-père. Par contre, avec monsieur Dubé, ça ressemblait à un rapport compliqué entre un père et son fils. Gratien Gélinas aimait beaucoup ce que je faisais ; Marcel Dubé a pu se sentir menacé. Avec raison. À l'époque, les Québécois voulaient un héros par domaine (le sport, la politique, la musique). Pas deux. Je dois reconnaître que, lorsque je suis devenu populaire, dans les années soixante-dix, le milieu théâtral a mis un peu de côté l'œuvre de Marcel Dubé.

EXTRAIT

ALBERTINE À 50 ANS. R'gardez...

ALBERTINE À 40 ANS. Quoi...

ALBERTINE À 50 ANS. La v'là... la lune !

Les quatre Albertine regardent vers le ciel.

ALBERTINE À 60 ANS. J'vois pas trop ben... oùsque j'ai mis mes lunettes, donc...

Elle les trouve, les chausse.

ALBERTINE À 70 ANS. Comme c'est beau...

ALBERTINE À 40 ANS. Oui, c'est beau... même d'ici, c'est beau.

ALBERTINE À 30 ANS. Est tellement grosse...

ALBERTINE À 60 ANS. ... pis rouge...

Silence.

ALBERTINE À 50 ANS. On dirait qu'en étirant le bras on pourrait la toucher...

ALBERTINE À 60 ANS. Elle aussi est tu-seule...

Albertine, en cinq temps

DISTRIBUTION À LA CRÉATION

Centre national
des Arts d'Ottawa, 12 octobre 1984

Albertine à trente ans : Paule Marier
Albertine à quarante ans : Rita Lafontaine
Albertine à cinquante ans : Amulette Garneau
Albertine à soixante ans : Gisèle Schmidt
Albertine à soixante-dix ans : Huguette Oligny
Madeleine : Muriel Dutil

– 11 –

ALBERTINE, EN CINQ TEMPS
(1983)

Le personnage le plus universel de Tremblay
L'importance du tragique
L'insuccès de Tremblay en France

LUC BOULANGER : Pour plusieurs raisons, je considère *Albertine, en cinq temps* comme votre chef-d'œuvre : la beauté des dialogues, l'universalité du personnage d'Albertine, son destin tragique exemplaire, la nostalgie de l'intrigue et la structure parfaite de cette pièce. *Albertine, en cinq temps* a la particularité structurale de fragmenter un personnage en cinq femmes, représentant autant de périodes de sa vie entre trente et soixante-dix ans, et qui dialoguent entre elles. D'où vient cette idée ?

MICHEL TREMBLAY : Pour moi, la vie est une expérience en dents de scie. L'être humain navigue continuellement entre deux cycles. Il change tous les dix ans, pour revenir à la même chose qu'il était avant vingt an. Par exemple, Albertine à trente, cinquante et soixante-dix ans est une femme plutôt positive, tandis qu'à quarante et soixante ans, elle est très négative, voire dépressive. C'est comme si Albertine faisait une maniaco-dépression étalée sur quarante ans !

L. B. De tous vos personnages, c'est sûrement le plus enragé. Albertine semble n'avoir aucun talent pour le bonheur. Est-elle trop intolérante elle-même ?

M. T. Elle essaie en vain de trouver des moyens pour être heureuse. La première image que j'ai vue d'Albertine – avant d'écrire la pièce –, c'est celle d'une femme prisonnière d'une cage, ligotée sur une chaise dans une camisole de force, dont la porte est toutefois ouverte ! À soixante-dix ans, Albertine parvient enfin à sortir de cette cage. Et elle peut comprendre pourquoi elle a été si malheureuse... Albertine a mis au monde deux enfants « anormaux » : Thérèse et Marcel. Au lieu de les aider, elle les rend encore plus fous. C'est une femme seule – son mari est mort durant la Seconde Guerre mondiale –, pauvre et sans ressources. Aujourd'hui, Albertine pourrait se rendre dans un CLSC et consulter un professionnel. Mais, à l'époque, ce genre de services n'existait pas. Un jour, j'écrirai peut-être une belle histoire d'amour triste avec Albertine. On la reverra à vingt ans, et on comprendra pourquoi, quand et comment son malheur a débuté. Pour l'instant, à l'approche de la mort, elle peut seulement « nommer » sa douleur. C'est pour ça qu'Albertine à soxante-dix ans donne des conseils aux plus jeunes. Bien que j'aie tout fait pour ne pas rendre ce personnage moralisateur.

L. B. La morale fait du mauvais théâtre.

M. T. Au théâtre il ne faut jamais oublier l'humanité. Je déteste les auteurs qui sacrifient l'humanité de leurs personnages pour faire passer un « message ». On a beau considérer telle pièce comme un chef-d'œuvre, si ce dernier s'adresse seulement à l'esprit, il ne me touche pas.

L. B. Albertine ressemble, comme nous l'avons vu dans notre entretien à propos d'*En pièces détachées*, à votre tante Robertine, avec laquelle vous avez habité durant votre enfance. Certains membres de la famille de celle-ci sont transposés dans vos pièces et dans vos livres. La réalité de la famille de Robertine était-elle aussi noire que votre théâtre le suggère ?

M. T. Du plus loin que je me souvienne, j'ai toujours trouvé ma tante et sa famille tragiques. Enfant, alors que j'ignorais la définition de la tragédie, j'étais déjà fasciné par ces gens. Je les regardais aller. Je les trouvais grands et généreux dans leur malheur. Grâce à eux, très jeune, j'ai pu observer des êtres qui ont une propension au malheur. Attention, je ne dis pas qu'ils se complaisaient dans le malheur. À l'opposé du masochisme, ils vivaient leur drame avec un sens du tragique et du devoir.

Quand j'ai lu *Agamemnon* et le reste de *L'Orestie* d'Eschyle, j'ai tout de suite compris les rouages de la tragédie. À travers le destin de la famille des Atrides, je reconnaissais la démesure de la douleur de ma propre famille. À mes yeux, Robertine et les siens étaient les Clytemnestre, Oreste et Électre du milieu ouvrier montréalais. J'ai alors réalisé que la tragédie transgresse les classes sociales. En France, la tragédie se passe obligatoirement dans la monarchie. Si les protagonistes sont prolétaires, la tragédie se transforme en mélodrame. Aux États-Unis, dans les années trente, Eugene O'Neill et William Faulkner, entre autres, ont écrit les premières tragédies qui ne se passaient pas dans le milieu « aristocratique ». Pour moi, l'implacable logique de la tragédie antique correspond à la fatalité du milieu ouvrier des années cinquante. Depuis que je l'ai introduit dans mon œuvre, le personnage d'Albertine ne fait que servir la tragédie annoncée. Il vit sous le signe de la fatalité. Et, dans son cas, cette fatalité prend la forme d'une émotion : la rage. Albertine pense qu'elle est née pour souffrir. Elle est extrêmement défaitiste. Dans *Thérèse et Pierrette à l'école des Saint-Anges*, elle dit : « Je ne suis pas venue au monde pour un p'tit pain, mais pour une toast brûlée. »

L. B. Dans *Albertine, en cinq temps,* le personnage de Madeleine, la sœur d'Albertine, joue un rôle capital. Or, avant 1983, Madeleine ne faisait pas partie de la famille d'Albertine. Son introduction est majeure dans la structure de la pièce et dans le rapport d'Albertine avec le malheur, ou l'absence de bonheur, dans sa vie. Comment est venue l'idée de ce personnage ?

M. T. Je voulais un témoin du drame d'Albertine. Dans *Électre* de Sophocle, Électre a une sœur, Chrysothémis, qui joue à mon avis un rôle important. Contrairement à Électre, Chrysothémis réagit plus raisonnablement à la mort de leur père (Agamemnon) et à l'union de leur mère (Clytemnestre) avec l'usurpateur étranger Égisthe. À l'instar de Chrysothémis, Madeleine est le contraire, le négatif, d'Albertine. Elle refuse de voir le malheur autour d'elle, en interprétant autrement les événements de leur passé.

L. B. *Albertine, en cinq temps* me paraît une pièce très noire, avec, cependant, une fin lumineuse. Est-ce votre opinion ?

M. T. C'est le message du personnage, pas le mien. Dans sa logique, Albertine n'a pas le droit au bonheur. Elle ne l'a jamais eu, et elle ne l'aura jamais. C'est normal qu'un personnage tragique pense de cette façon. Des *Belles-Sœurs* à *Damnée Manon, sacrée Sandra,* tous mes personnages tentent, en vain, de donner un sens à leur vie. Mais ils vont toujours vers une plus grande obscurité. Or ici, pour une fois, Albertine veut casser ce moule.

L. B. Dans l'émouvante scène finale, les cinq Albertine contemplent la lune qui se lève derrière les montagnes, à Duhamel. Elles unissent leurs voix en chœur. Puis elles soulèvent très lentement les bras vers la lune, en se demandant si c'est la même... Cette finale ouverte laisse-t-elle présager vos pièces futures sur le thème de la réconciliation ?

M. T. J'espérais simplement faire de ces cinq femmes un seul et unique personnage. Après avoir frôlé la mort, Albertine à soixante-dix ans comprend mieux sa vie. Je dis souvent que vieillir, c'est comprendre. Il faut changer au cours de notre vie. Même si c'est difficile, car ça demande beaucoup d'humilité. Seuls les idiots refusent de changer. Certes, Albertine le fait sur le tard, mais elle change tout de même. Au bout de sa vie, elle apprivoise sa rage. Elle tente de comprendre le drame de son existence. C'est en cela, je pense, qu'Albertine est un personnage universel.

L. B. Avant de commencer *Albertine, en cinq temps*, vous aviez un thème (la rage), un personnage (Albertine), mais pas de conflit dramatique. Or, vous le trouverez soudainement avec la structure de la pièce. Le lendemain, comme à votre habitude, vous plongez dans la rédaction. La pièce sera terminée en deux semaines ! À ce moment-là, étiez-vous conscient de l'importance de ce texte dans votre œuvre ?

M. T. Non. J'étais excité, heureux et soulagé. Mais, trois semaines plus tard, comme à mon habitude, je me suis mis à douter énormément. Quelques semaines après avoir achevé une pièce, je m'imagine toujours être le plus mauvais écrivain au monde. Chaque fois – que ce soit avec *Albertine...* ou *Les Anciennes Odeurs* –, je me dis que mes bébites n'intéressent personne. Ce n'est qu'au moment de la correction des épreuves que je me réconcilie enfin avec mon texte, comme Trigorine dans *La Mouette*.

L. B. Depuis 1986, une cinquantaine de productions d'*Albertine, en cinq temps* ont été présentées en une dizaine de langues à travers le monde. Au Japon, en Angleterre, au Danemark, en République tchèque, en Roumanie, au Canada. Parmi toutes vos pièces, elle se classe au quatrième rang en ce qui concerne le nombre de productions à l'étranger, les autres étant dans l'ordre *Les Belles-Sœurs, Bonjour, là, bonjour* et *À toi, pour toujours, ta Marie-Lou.* Une production suscitait beaucoup d'attentes : celle du Studio des Champs-Élysées, à Paris, en 1987. Quel souvenir en gardez-vous ?

M. T. C'est une des grandes déceptions de ma vie. Pas à cause de la mise en scène de Brassard, mais parce que la distribution était très inégale. Les deux productrices, qui étaient aussi comédiennes, nous avaient caché qu'elles voulaient jouer dans la pièce... Brassard avait proposé des actrices fabuleuses – comme Suzanne Flon, Catherine Sauvage et Lucienne Amont – mais aucun de ses choix n'a été retenu. Dommage, car il ne faut pas qu'une Albertine soit moins bonne que les autres. Sinon, ça donne un spectacle déséquilibré.

L. B. La pièce a-t-elle eu plus de chance aux États-Unis ?

M. T. Encore moins. J'ai même perdu mon agent américain à cause d'*Albertine, en cinq temps* ! Les Américains avaient de la difficulté à suivre. J'ai écrit une tragédie basée sur une petite misère de rien du tout. Il n'y a pas de « punch » dans *Albertine*... À l'instar d'*Hosanna* d'ailleurs, une pièce qui ne marche pas non plus aux États-Unis car le « punch » est trop prévisible pour les Américains : tout le monde est habillé en Cléopâtre dans le bar. Et sans cela, nos voisins du Sud ne peuvent pas apprécier la pièce.

L. B. Votre théâtre a abondamment dénoncé la schizophrénie culturelle des Québécois. Ironiquement, il semble que la réception de vos pièces soit différente et différenciée entre la France, l'Amérique du Nord et le Québec. Croyez-vous qu'en général votre théâtre est mieux reçu aux États-Unis qu'en Europe ?

M. T. Je dis souvent que mes racines sont en Europe, mais que je porte mes fruits en Amérique du Nord...

En Europe, ce sont les pays francophones, surtout la France, qui ne produisent pas mes pièces. Et la raison en est simple : les acteurs ne sont pas capables de les jouer. En France, les comédiens refusent de prendre un accent autre que le parisien, de peur de passer pour des provinciaux. Tandis qu'au Québec, on est habitué aux différents accents. Quand les Français montent des pièces québécoises (par exemple, quand le Sirocco Théâtre a mis en scène *Aux hommes de bonne volonté,* de Jean-François Caron), ils doivent « traduire » le texte dans leurs mots... C'est inacceptable ! J'aimerais bien voir les réactions du public en France si des Québécois faisaient la même chose avec des pièces de Molière ou de Pagnol...

EXTRAIT

MADELEINE I. De toute façon, que c'est que ça me donnerait de faire comme dans ta pièce ? Oùsque j'irais, un coup divorcée ? M'ennuyer ailleurs ? Dans un appartement miteux pour les pauvres folles comme moi qui auraient pas eu l'intelligence de se taire ? Me trouver une job ? J'sais rien faire d'autre que le ménage pis à manger ! J'irai pas faire des ménages dans des maisons de riches pour le reste de mes jours juste parce que j'me serai déchargé le cœur une fois ! Pis j'irai pas continuer mes cauchemars de l'après-midi dans un deux pièces et demie meublé ! Ta femme, là, dans la pièce, là, qui porte mon nom pis qui est habillée comme moi, que c'est qu'a'va faire, le lendemain matin ? Hein ? Après avoir joué l'héroïne ? On sait ben, ça t'intéresse pas, toi ! Quand a'l'ouvre la porte pis qu'a sort d'la scène, a'l'arrête d'exister pour toi pis tu t'en sacres, d'abord que t'as écrit des belles scènes ! Mais moi, faut que je vive demain, pis après-demain, pis les autres jours ! Si t'as jamais entendu le vacarme que fait mon silence, Claude, t'es pas un vrai écrivain !

Le Vrai Monde ?

DISTRIBUTION À LA CRÉATION

Centre national des Arts,
2 avril 1987

Madeleine I : Rita Lafontaine
Madeleine II : Angèle Coutu
Claude : Patrice Coquereau
Alex I : Gilles Renaud
Alex II : Raymond Bouchard
Mariette I : Sylvie Ferlatte
Mariette II : Julie Vincent

– 12 –

LE VRAI MONDE ?

(1986)

Littérature et réalité
Secrets d'écriture
L'artiste est un vampire

LUC BOULANGER : Dans cette pièce, Madeleine dit à son fils : « Si t'as jamais entendu le vacarme que fait mon silence, Claude, t'es pas un vrai écrivain ! » À mon avis, cette réplique est une des plus belles phrases de votre œuvre dramatique. Quel est le sens profond de cette réplique ?

MICHEL TREMBLAY : Il est périlleux de retirer une réplique de son contexte. Tout le propos de la mère est justifié par une chose : pour survivre, elle doit se réfugier dans le silence. À l'instar de la majorité des femmes au Québec, dans les années cinquante et soixante, Madeleine est persuadée qu'il vaut mieux endurer en silence que d'exprimer son malheur. Le silence était le moyen d'éviter d'aborder les sujets tabous. Les mères disaient toujours à leurs enfants : « On ne parle pas de ces choses-là. » Pour les femmes, se taire faisait moins mal que de prendre la parole. Et elles avaient raison : si les mères de famille s'étaient révoltées contre leur mari, elles auraient gâché leur vie. Madeleine résume bien cette impasse lorsqu'elle dit à son fils : « Qu'est-ce que je vais faire (si je quitte ton père) ? Me louer une chambre et me mettre sur l'aide sociale ? »

L. B. Encore un fois, vous vous servez des monologues pour exprimer les états d'âme des personnages. Avec son monologue sur le silence, Madeleine s'oppose à l'idéalisme artistique de Claude, un jeune écrivain confronté aux doutes et aux angoisses face à son avenir. Cette pièce est-elle autobiographique ? À vingt-trois ans, Michel Tremblay doutait-il aussi de son avenir littéraire ?

M. T. J'avais une chance sur un million de devenir un auteur, et je suis devenu un auteur populaire ! À bien y penser, je ne pense pas que j'aurais pu fleurir ou m'épanouir dans un autre métier. J'aurais sûrement été malheureux...

L. B. Lors de la reprise du *Vrai Monde ?,* au printemps 1999 au Théâtre du Rideau Vert, vous avez confié au comédien Serge Mandeville, qui défendait Claude, que cette pièce, c'est votre *Orestie* à vous. Cette analogie marque bien votre travail d'écriture dramatique ?

M. T. Dans *Le Vrai Monde ?,* Claude écrit une pièce à propos de sa famille qui est aussi sombre et tragique que celle des Atrides. Il représente une famille dévorée par la culpabilité et la vengeance comme celle de Clytemnestre, d'Électre et d'Agamemnon. Je me suis aussi inspiré du destin tragique de ma propre famille. Mais, contrairement à Claude, j'ai davantage transposé les faits.

L. B. La pièce a connu une belle carrière internationale. Traduite en sept langues, elle a été produite à Londres, à Glasgow, en Suisse, en Belgique, aux États-Unis et dans plusieurs villes canadiennes. Une adaptation pour la télévision a été réalisée pour Radio-Canada. De l'avis de tous, vous êtes un auteur très aimé du public. Mais, malgré votre cote d'amour, on vous accuse parfois de « mépriser » la classe populaire...

M. T. La dernière fois que j'ai fait face à une critique semblable, c'était de la part du journaliste Georges-Hébert Germain, à la défunte émission de télévision *La*

Bande des six. Par la suite, Germain s'est excusé en disant qu'il s'était mal exprimé. Je ne comprends pas qu'on puisse lire *La Grosse femme d'à côté est enceinte*, ou voir *À toi, pour toujours, ta Marie-Lou*, et trouver que je juge le milieu populaire. Comment pourrais-je mépriser mes personnages du Plateau Mont-Royal et leur faire dire des choses libératrices ? Si je les méprisais, j'écrirais des grosses farces sur leur milieu. Le langage de mes personnages est pauvre, mais leurs sentiments sont nobles. Pour moi, la littérature doit montrer cette réalité, et le théâtre doit diffuser la parole de ces gens-là. Au risque de se faire mal interpréter. Par exemple, quand *Françoise Durocher, waitress* a été télédiffusé, en 1972, j'étais un client régulier au restaurant Laurier BBQ. Pendant des mois, les serveuses m'ont boudé ! Elles m'ont finalement demandé pourquoi je les méprisais tant. Brassard et moi leur avons expliqué nos intentions avec notre film. Mais les serveuses revenaient toujours au monologue du personnage incarné par Michelle Rossignol, à la fin du film, où elle soliloque dans un état d'ébriété très avancé, une bouteille de whisky à la main. Il y a vingt-cinq waitresses dans *Françoise Durocher*, une seule est saoule : c'est celle-là qui a blessé les serveuses. Avec le temps, j'ai compris pourquoi elles se sont senties attaquées : elles ne pouvaient pas répliquer et écrire leur version des faits.

L. B. On peut appeler ça le pouvoir de la fiction. Est-ce qu'un auteur a une responsabilité envers son public et ses lecteurs ? Ou envers ses proches ?

M. T. Je pense avoir raison de me servir de la vie de mes proches pour écrire, mais je ne peux pas m'empêcher de me blâmer quelque part. D'ailleurs, dans la pièce, j'ai donné volontairement de très mauvais arguments à Claude. Par exemple, il n'a pas de monologues aussi marquants que ceux de sa mère. Un auteur part de lui. En écrivant, il s'éloigne de sa réalité pour inventer un monde, il transpose. L'œuvre doit devenir plus grande que lui.

L. B. Certains auteurs avancent que ce sont les personnages qui dictent les répliques et non l'auteur. Est-ce votre impression ?

M. T. Effectivement, en écrivant je deviens Albertine ou Madeleine, je dis telle chose, et ça vient d'elles. Pas de moi. C'est ce que Claude explique dans *Le Vrai Monde ?* en disant qu'il rentre à l'intérieur des personnages. J'ai plus de plaisir à écrire pour des personnages éloignés de ma vie actuelle – comme Albertine ou Marcel – que pour ceux proches de moi – tels Jean-Marc ou Luc. Avec Jean-Marc, je m'arrache le cœur. Avec Albertine, je tente de débusquer des choses. Ça vient d'un autre besoin. Je ne suis jamais entièrement dans un personnage, mais quand Madeleine accuse Claude d'avoir été un espion, là, je me reconnais. Comme bien des écrivains, je suis un buvard, une éponge. Pour le reste, les raisons pour lesquelles Claude commence à écrire, ses rapports conflictuels avec ses parents, sa vision du théâtre, ça ne me ressemble pas du tout.

L. B. J'aimerais revenir sur le phénomène du dramaturge qui « rentre » à l'intérieur des personnages. Que voyez-vous en écrivant ?

M. T. Je vois le personnage qui écoute, et non celui qui fait l'action. Par exemple, en mettant des mots dans la bouche de Carmen, je n'imagine pas Carmen qui parle, mais plutôt Maurice qui s'apprête à répliquer. Puis, en forgeant la réplique de Maurice, j'aperçois Carmen, pressée de lui répondre. C'est probablement pour cela que j'écris à ce rythme-là. Je structure mes dialogues tout en les écrivant.

L. B. Et quand vous écrivez une mauvaise réplique, que percevez-vous ?

M. T. J'observe un grand vide dans les yeux du personnage... Une réplique ratée, ça me tourmente de façon insidieuse. Je fais tout pour oublier une mauvaise réplique que je viens d'écrire. Je tourne autour du pot. Je passe par-dessus. Je commence un monologue. Entre-temps, je réalise que si je n'arrive à rien, c'est justement à cause de cette maudite réplique. Je dois donc la changer, et trouver le bon mot pour ne pas briser le rythme. Paradoxalement, une mauvaise réplique améliore donc ma pièce !

L. B. Environ les trois quarts de vos pièces sont en un acte. Pourquoi ?

M. T. Parce que j'aime y aller d'un seul souffle. Il n'y a rien que j'haïs plus au théâtre que l'entracte. J'ai peur de perdre les spectateurs durant l'entracte. Je vois mes pièces comme un sprint ; je me dois de garder l'attention du public jusqu'à la toute fin.

L. B. Quelle est la différence, sur le plan de l'implication de l'auteur, entre l'écriture d'une pièce et la rédaction d'un roman ?

M. T. J'écris du théâtre pour provoquer ou agresser les gens. Au contraire, je fais des romans pour raconter doucement une histoire dans le creux de l'oreille d'un ami.

L. B. À la fin du *Vrai Monde ?,* Alex brûle des feuillets du manuscrit de son fils. C'est un geste d'une grande violence envers la création artistique. Que signifie-t-il ?

M. T. Quoi qu'il écrive, l'écrivain sera toujours incompris. C'est le lot de tous les artistes de se sentir incompris... Comme je l'ai déjà dit : ce sont nos ennemis qui nous tiennent debout. Le jour où je n'aurai plus rien à prouver à personne, ma vie va être bien plate. Depuis environ dix ans, quand j'ai une bonne critique dans *La Presse, Le Devoir* ou *Voir,* je ne suis pas content, mais soulagé. Je n'ai plus de plaisir à lire les journalistes québécois. Au début de ma carrière, j'ai eu de très bonnes critiques. Dans les années soixante-dix, certains critiques m'ont fait connaître et ont défendu la nouveauté de mon théâtre. Or, après trente ans, je réalise que les journalistes se sont lassés de ma présence ! Au Québec, on me considère comme un « monument » de la littérature. Et des fois, comme des pigeons, on aime bien chier sur les monuments !

L. B. À la manière de Pirandello, *Le Vrai Monde ?* expose la problématique entre l'art et la vie. L'action trace un parallèle entre les personnages imaginés par Claude et les membres de sa famille réelle. Mais, à la fin, on ne sait pas si la démarche artistique de Claude est légitime ou pas ? Pourquoi avoir refusé de trancher ?

M. T. Je me rappelle qu'à la création, après les représentations, ça discutait fort devant le Rideau Vert. Une question revenait souvent : « Est-ce que les artistes ont le droit de dépeindre ainsi leur mère ? » Une femme m'a accosté pour avoir mon opinion. Je lui ai répondu que la mère et le fils ont autant raison l'un que l'autre. J'ai écrit *Le Vrai Monde ?* pour en finir avec ma culpabilité envers ma marraine Robertine, décédée en 1985. Quand elle est morte, j'ai eu beaucoup de peine, puis j'ai ressenti énormément de culpabilité. Je réalisais que j'avais gagné ma vie en exploitant l'existence d'une femme pauvre et malheureuse. Certes, quand j'en ai eu les moyens, je l'ai gâtée et je lui ai offert des cadeaux. Mais je me sentais encore coupable. Je me demandais si j'avais bien fait de me servir de ma tante. Si je ne l'avais pas dépossédée de son bien le plus précieux : sa vie.

L. B. L'artiste est à la fois un vampire et un créateur : il vampirise la vie de ses proches pour inventer des histoires qui lui profiteront davantage qu'à ses muses. Il est à la fois subversif et subjectif. Croyez-vous que seule la postérité d'une œuvre peut justifier les intentions d'un écrivain ?

M. T. En effet, la qualité justifie les moyens. Ça peut sembler terrible, mais si sa pièce est bonne, un auteur a le droit de se servir des gens autour de lui et de les interpréter dans un univers fictif. Au bout du compte, l'accueil favorable du public prouve que l'auteur a eu raison. Et si sa pièce est mauvaise, alors il aura eu tort. Mais, encore là, c'est très subjectif. Un artiste ne peut pas avoir ce genre de scrupules, sinon il serait impossible de créer une grande œuvre. D'une façon, *Le Vrai Monde ?* condamne l'écrivain. C'est une tentative d'explication pour justifier le mal que j'ai pu faire (ou que je pourrais faire un jour ou l'autre) à quelqu'un. Mais je n'excuse pas l'écrivain. Je crois qu'il y a une certaine forme de lâcheté sous l'écriture. Un auteur écrit d'abord pour se faire du bien à lui – et parfois au détriment des autres.

L. B. N'est-ce pas un peu égocentrique ?

M. T. Peut-être. Mais tous les artistes parlent d'eux. J'écrirais un roman sur Jeanne d'Arc ou la Révolution française, que je finirais par parler de moi quelque part ! Je crois qu'on peut débusquer l'auteur à travers n'importe laquelle de ses œuvres.

EXTRAIT

ÉMILE JEUNE, *commence doucement, mais s'enflamme assez vite.* De quoi suis-je coupable ? Que me reprochez-vous ? *(Silence.)* Tout ce que j'ai fait c'est... noircir de petits cahiers, de petits poèmes qui étaient le reflet de mon âme, de ses douleurs ! De quoi suis-je coupable ? J'ai couché sur du papier blanc en des taches d'encre noire des douleurs d'adulte naissant ; j'ai décrit des vaisseaux d'or, des communiantes, des chapelles ruinées, des camélias et tout ça, c'était mon âme qui criait au secours, acceptez-moi, aimez-moi ! J'ai levé le poing, j'ai défoncé le ciel, je l'ai pulvérisé en milliers d'éclats d'or. J'ai essayé d'en parsemer mon chemin pour laisser une trace qu'on pourrait suivre, qu'on pourrait remonter jusqu'à moi et dont on pourrait dire : « Voilà, c'est de lui ! C'est de Nelligan ! C'est une œuvre de Nelligan ! C'est une œuvre de Nelligan ! On peut la reconnaître parce que c'est de Nelligan, de Nelligan, d'Émile Nelligan. » Je suis coupable, je suis coupable de poésie !

Nelligan, scène 12

DISTRIBUTION À LA CRÉATION

L'Opéra de Montréal, Grand Théâtre de Québec,
24 février 1990

Émile jeune : Yves Soutière
Émile vieux : Michel Comeau
Émilie Nelligan : Louise Forestier
Françoise : Renée Claude
Éva : Dympna McConnell
Gertrude : Marie-Jo Thério
David Nelligan : Jim Corcoran
Charles Gill : Loui Mauffette
Arthur de Bussières : Daniel Jean
Le père Eugène Seers : Roger Bellemare
Un visiteur : Jean Archambault
Une religieuse : Brigitte Portelance

– 13 –

NELLIGAN

(1989)

Le destin des poètes maudits
Un défi d'écriture pour Tremblay
La complicité avec André Gagnon

LUC BOULANGER : *Nelligan* forme une autre parenthèse dans votre œuvre dramatique. Il s'agit d'un premier livret d'opéra, dont le sujet historique est très éloigné de l'univers de Michel Tremblay. Depuis votre jeunesse, vous êtes un grand amateur d'opéra. Est-ce pour cela que, à quarante-sept ans, vous avez accepté de faire ce projet avec votre ami, le compositeur André Gagnon ?

MICHEL TREMBLAY : André Gagnon et moi, nous cherchions un sujet d'opéra ou de comédie musicale depuis plus de dix ans. Nous n'étions jamais satisfaits. Puis un jour, André a lu l'excellente biographie sur Nelligan, écrite par Paul Wyczynski. Il était emballé et il m'a téléphoné pour m'inciter à la lire. Outre le personnage de Nelligan, j'étais aussi intéressé par le contexte social. La famille d'Émile Nelligan faisait partie de la bourgeoisie canadienne-française au tournant du XXe siècle. Cette société bien-pensante et religieuse rejetait les artistes et leurs idées. Les poètes canadiens français au XIXe siècle étaient surtout des notaires, des médecins et des clercs. Certains s'adonnaient à la poésie en dilettantes et lisaient leurs vers le samedi soir, au Château Ramezay, dans le Vieux-Montréal. À l'opposé de cette société, Nelligan et ses amis, Charles Gill et Arthur de Bussières, désirent « vivre totalement leur poésie ». Ils sont des émules des poètes maudits.

L. B. Ce contexte sociofamilial a étouffé la carrière littéraire d'Émile Nelligan. Il se consacra à la poésie dès dix-sept ans. Mais deux ans plus tard, à la demande de sa famille, il sera interné. Ce destin n'est pas sans rappeler la tragédie de certains personnages de votre théâtre. Nelligan est-il, comme Marcel, un génie assassiné ?

M. T. Probablement, on ne saura jamais si Nelligan était un génie ou non, parce qu'il n'a pas eu la chance de développer son talent. À dix-sept ans, il écrit des poèmes étonnamment bien maîtrisés pour un écrivain de son âge. Mais c'est encore une jeune œuvre marquée par les influences de Rimbaud, Baudelaire et Verlaine.

L. B. Nelligan a fini ses jours aphasique sans poursuivre son travail poétique. On peut se demander ce qui l'a enfermé dans la folie, ce qui l'a tué...

M. T. Je crois que c'est la bourgeoisie de l'époque qui a tué son talent dans l'œuf. Nelligan s'est exprimé pendant deux, trois ans, puis il a été enfermé pendant quarante-deux ans dans un asile ! Il a été victime de sa famille et de sa société.

L. B. La famille Nelligan habitait avenue Laval, dans le quartier huppé du carré Saint-Louis à Montréal. Elle représentait déjà, en 1900, les clichés des deux solitudes canadiennes. La mère francophone est sensible et chaleureuse ; le père anglophone est froid et sévère. Émile Nelligan était proche de sa mère, mais celle-ci ne veut pas trop réconforter son fils à cause de son mari. Comment avez-vous traité dans votre livret cette dualité socioculturelle ?

M. T. Voilà une famille canadienne politiquement modèle ! Elle représente le rêve caressé par les premiers ministres Pierre Elliott Trudeau et Jean Chrétien d'un Canada bilingue d'un océan à l'autre. Et regardez la merde que ça donne ! Ce contexte sociopolitique est très intéressant. Surtout si on considère que la pièce a été créée en février 1990, à l'époque des manœuvres entourant la ratification de l'accord du lac Meech[1] par les provinces canadiennes et le gouvernement fédéral. *Nelligan* raconte donc une histoire qui s'est passée voilà un siècle, mais qui demeure très actuelle.

L. B. *Nelligan* représente-t-il la rencontre entre deux formes artistiques, celle de Tremblay et celle de Gagnon ?

M. T. C'est plus complexe. *Nelligan* est l'œuvre la plus difficile que j'aie écrite. Chaque phrase a été retravaillée quatre ou cinq fois ! Un opéra est davantage l'œuvre du compositeur que du librettiste. Par exemple, personne ne se souvient du nom du librettiste de Puccini pour *La Tosca*... Ce n'est pas mon œuvre, mais celle d'André Gagnon. Même si André me laissait énormément de liberté, c'est lui qui prenait les décisions finales. Si j'écrivais un récitatif chanté et que ça lui inspirait une autre ligne mélodique que celle du départ, je devais recommencer mon texte. J'ai souvent refait des dialogues à la suite des changements qu'André apportait à la structure musicale.

L. B. *Nelligan* a été produit par l'Opéra de Montréal dans une mise en scène d'André Brassard. Le spectacle a connu un très bon succès auprès du grand public. Mais le milieu lyrique ne l'a pas apprécié. En connaissez-vous les raisons ?

---

1. L'accord du lac Meech a été négocié par le gouvernement fédéral conservateur dirigé par Brian Mulroney en 1987. L'accord a échoué trois ans plus tard quand les provinces de Terre-Neuve et du Manitoba ont refusé de l'entériner. Depuis 1990, les analystes font souvent référence à l'avant et à l'après-Meech lorsqu'ils abordent la politique constitutionnelle canadienne.

M. T. Le milieu nous reprochait d'avoir utilisé des acteurs et des interprètes populaires (Louise Forestier, Renée Claude, Jim Corcoran, Yves Soutière) au lieu de vrais chanteurs d'opéra ou de formation classique. Mais c'était écrit pour des voix rock, et non pour des voix classiques. J'ai d'ailleurs pensé sous-titrer *Nelligan* : « tragédie musicale ». Mais le terme tragédie faisait peur à la direction de l'Opéra de Montréal. Finalement, André Gagnon a qualifié l'œuvre d'opéra romantique.

L. B. *Nelligan The Musical*, comme *Cats*, *Lion King* ou *Les Misérables* ?

M. T. Peut-être, si on s'en tient à la définition du *musical* qui, dans les années soixante-dix, a remplacé la comédie musicale. Car *Nelligan* est chanté tout au long de la représentation. Si on avait joué à Broadway ou à Londres, on aurait pu écrire *Nelligan The Musical* sur la marquise. Mais au Québec, il faut encore innover et dénicher de nouveaux termes...

L. B. À propos de Broadway, en 1996, vous avez traduit pour le Théâtre Juste pour rire la pièce de Terrence McNally, *Master Class* (*Les Leçons de Callas*). Dans cette pièce, l'auteur américain évoque la fin de la carrière de la Divina, en l'imaginant dans un cours de chant qu'elle donnait au célèbre Juilliard à New York. Maria Callas était-elle votre diva préférée ?

M. T. Non. La Callas était une interprète incomparable et spectaculaire, mais je n'ai jamais été un fan. Comme pour les actrices, au lieu des stars, j'ai un penchant pour les chanteuses *underdogs*, ou *second best*. Dans les années soixante-soixante-dix, tout le monde adulait Maria Callas ; moi, je préférais Leonie Rysanek, une cantatrice décédée en mars 1998, qui a surtout interprété du Wagner, du Strauss et du Verdi.

L. B. Est-ce que vos précédentes comédies musicales, et plus particulièrement votre travail avec le compositeur

François Dompierre pour *Demain matin, Montréal m'attend*, vous ont facilité la tâche pour *Nelligan* ?

M. T. L'approche était très différente ici. Comme j'ai déjà dit, avec l'opéra, c'est la musique qui prime. Pour moi, André est un grand mélodiste, et il donnait des airs aux chansons qui ne correspondaient plus à mes paroles. Je devais donc ajuster davantage mes textes pour *Nelligan* que pour *Demain matin...* Si je devais me relancer dans l'aventure d'un autre opéra aujourd'hui, il faudrait qu'André et moi trouvions un sujet aussi intéressant que Nelligan. Et en opéra, c'est très difficile de trouver un sujet qui arrive à satisfaire autant le compositeur que le librettiste. C'est rare qu'un sujet d'opéra puisse donner beaucoup de matière au librettiste, qu'il puisse dire quelque chose et développer des personnages percutants. C'est plus facile au théâtre.

EXTRAIT

ÉDOUARD. L'été passé, tu te souviens, à la plage Roger, quand t'as eu si honte de moé parce que j'ai faite la folle devant une gang de bums ? Hein ? Ben si j'avais pas faite la folle devant c'te gang de bums là, y m'auraient cassé la yeule. (...) Mais j'me sus brassé le cul devant eux autres en me sacrant une napkin su'a'tête pis en leur chantant des vieux succès de Mistinguett qu'y connaissent même pas... pis y'ont ri ! Toute la journée ! Y'ont ri toute la journée parce que moé j'ai ri de moé-même toute la journée ! De ce que j'étais, de mon physique, de ma façon de marcher, de ma façon de parler ! J'me sus épuisé à les faire rire, Bartine, pour éviter que tout ça finisse dans le drame ! Pis le soir y'ont fini par nous payer la traite ! Y me respectaient, rendus au soir, Bartine ! C'est ça que j'ai trouvé, la dérision, pour avoir le respect du monde ! Le respect !

La Maison suspendue

DISTRIBUTION À LA CRÉATION

Théâtre Jean-Duceppe, 12 septembre 1990

Josaphat : Yves Desgagnés
La Grosse Femme : Denise Gagnon
Victoire : Élise Guilbault
Albertine : Rita Lafontaine
Édouard : Jean-Louis Millette
Mathieu : Michel Poirier
Jean-Marc : Gilles Renaud

– 14 –

LA MAISON SUSPENDUE

(1989)

La question de la paternité
La découverte de la nature
Le droit à l'erreur
L'influence de Clémence Desrochers

LUC BOULANGER : Avec cette pièce, vous innovez encore sur le plan formel. Vous réunissez dans un même lieu, au chalet de Duhamel, des personnages provenant de trois époques différentes, qui veulent se réconcilier avec leur passé. Ces personnages sont du cycle des *Belles-Sœurs* (Édouard et la Duchesse) ; des *Chroniques du Plateau-Mont-Royal* (La Grosse Femme, Victoire et Josaphat) ; puis du roman *Le Cœur découvert* (Mathieu et Jean-Marc). L'auteur de l'apocalypse et de la rage change-t-il de registre ?

MICHEL TREMBLAY : Je voulais écrire une pièce sur le thème de la réconciliation (je l'avais déjà effleuré avec *Les Anciennes Odeurs*), particulièrement entre Albertine et son frère Édouard, dont la Grosse Femme serait le témoin.

L. B. Chaque génération a son espoir à travers la présence d'un enfant de onze ans : Gabriel, le fils de Victoire ; Marcel, le fils d'Albertine. Toutefois, avec Jean-Marc, vous arrêtez la descendance de la famille de Victoire...

M. T. Oui, avec Sébastien, le fils « adoptif » de Jean-Marc, c'est la première fois que le prince consort n'est pas un prince de sang. Car l'espoir est le fruit du mariage entre deux hommes. Jean-Marc représente la fin d'une lignée. Puisqu'il n'aura jamais de progéniture, il va donc raconter l'histoire de sa famille. Jean-Marc représente une espèce de barde. C'est la fonction de cet alter ego dans mon œuvre.

L. B. Vous revenez sur le passé d'une famille pour mieux en reconstituer une autre. Vous aimez bien secouer l'édifice de la famille traditionnelle ?

M. T. En effet, je l'ai fait à plusieurs reprises. En 1968, j'ai montré l'hypocrisie de la famille avec *Les Belles-Sœurs.* En 1972, j'ai mis une bombe dans la famille avec *À toi, pour toujours, ta Marie-Lou* que je qualifiais « d'une gang de tu-seuls ensemble ». En 1974, je l'ai rendue incestueuse dans *Bonjour, là, bonjour.* En 1986, dans *Le Cœur découvert,* j'ai mis en scène un couple gai qui élève un enfant. Pour moi, l'être humain a deux familles : la première lui est imposée ; la seconde, il peut la choisir. Pendant près de trente ans, je me suis constitué une « famille » avec mes proches. Car j'avais besoin d'avoir des relations plus signifiantes avec mes amis. Dans cette « famille », une amie était la mère, et moi, le père. Bien sûr, on jouait ces rôles avec humour. C'était une façon d'avoir une vie familiale tout en ayant renoncé à la paternité.

L. B. Justement, cela a-t-il été difficile pour vous de renoncer à la paternité, comme doivent le faire plusieurs hommes gais ?

M. T. Oui et non. Si j'avais été hétérosexuel, je ne pense pas que j'aurais fait des enfants à vingt ou trente ans, parce que je n'aimais pas assez le monde dans lequel je vivais. Plus tard, j'aurais peut-être changé d'idée. Heureusement, j'ai eu le cadeau d'un enfant à trente-neuf ans, le jour où le fils de mon ex-conjoint est venu habiter chez moi. J'ai finalement pu goûter un peu à la paternité, et au même âge qu'avait ma mère quand elle m'a mis au monde !

L. B. Dans *La Maison suspendue*, vous avez réuni des personnages provenant autant de votre œuvre romanesque que de votre œuvre dramatique. Un journaliste de la BBC en Grande-Bretagne a déjà affirmé qu'il est rare qu'un auteur fasse autant voyager ses personnages d'un genre littéraire à l'autre, alors que cela semble vous venir naturellement...

M. T. Effectivement, cela se fait naturellement. Car je connais tellement bien mes personnages que je n'ai aucune peine à les faire voyager du roman au théâtre, et vice versa.

L. B. Josaphat, créé au théâtre par Yves Desgagnés, est un homme mou et sans envergure. J'allais dire un raté... Dans votre théâtre, les femmes ont généralement le beau rôle, alors que les hommes sont souvent faibles ou lâches. N'êtes-vous pas un peu injuste envers les hommes de la génération de votre père et de votre grand-père ?

M. T. Je ne pense pas. Josaphat est à l'image de bien des Québécois de la première moitié du siècle. Les hommes étaient souvent de grands parleurs, mais de petits faiseurs. Josaphat a beau être un excellent conteur d'histoires, c'est un lâche terrible. Il n'a rien fait de sa vie. Toujours ivre, il récitait des poèmes à la lune. À l'époque de mes grands-parents et de mes parents, ce sont les femmes qui agissaient. C'est grâce aux femmes qu'aujourd'hui nous parlons encore le français au Québec ! Si elles n'avaient pas imposé le français comme langue maternelle au foyer, beaucoup de francophones au Québec auraient été assimilés par l'anglais.

L. B. Vous êtes un auteur très urbain. L'action de la plupart de vos pièces se déroule dans deux quartiers du centre-ville de Montréal : le Red Light et le Plateau. Dans

La Maison suspendue, vous avez situé l'action à la campagne, au chalet de Duhamel. Est-ce un havre nouveau, plus propice à la réconciliation de cette famille que le centre-ville ?

M. T. Duhamel est un endroit paisible où les trois générations de personnages, de Victoire à Jean-Marc, partagent aussi un souvenir de bonheur. C'est là que leurs grands-parents ont été heureux. Je suis un enfant de la ville et j'ai découvert les charmes de la campagne très tard : à trente-deux ans. À part de petites randonnées dans mon enfance chez des tantes à Duhamel ou à l'île Perrot, je n'avais jamais mis les pieds à la campagne. J'y suis allé pour la première fois en 1974 ! C'était au chalet d'André Montmorency, lors d'un week-end. La découverte de la nature a été alors un choc terrible. Le silence de la campagne, entre autres, me terrorisait... J'étais arrivé chez André le vendredi soir, et le samedi midi, je commençais déjà à faire une crise d'angoisse !!! Comme beaucoup de citadins invétérés, j'avais peur de manquer quelque chose en sortant de la ville. C'est la raison pour laquelle, pendant plusieurs années, la nature a été absente de mon œuvre. Il n'y a pas de nature dans *Les Belles-Sœurs,* ni dans *Marie-Lou* ni dans *Damnée Manon, sacrée Sandra.* Je commence à aborder ce thème seulement en 1978, dans *La Grosse Femme d'à côté est enceinte,* où il y a quelques passages sur le ciel et la lune.

L. B. Vous êtes un enfant de la ville, mais votre famille – surtout du côté de votre père – était très sensible à la beauté du monde. Votre père et ses frères aimaient bien regarder le ciel, les chaudes soirées de pleine lune, rue Fabre...

M. T. Les Tremblay parlaient beaucoup de la lune et de ses effets sur les hommes et les femmes. Je me rappelle aussi que durant les orages, en été, mon père me prenait dans ses bras pour me sortir sur le balcon de la rue

Fabre. Je voyais donc le spectacle de haut, car mon père mesurait six pieds et deux pouces. Et à quatre ans, juché au-dessus d'un homme de cette taille, au troisième étage d'un triplex, c'est haut en maudit !

L. B. Outre la lune, vos livres et vos pièces plus récentes illustrent une passion pour les couchers de soleil. Cela remonte aussi à l'enfance ?

M. T. Non. C'est arrivé plus tard, à Acapulco, en 1968, lorsque je suis allé écrire mon roman *La Cité dans l'œuf.* J'ai contemplé mes premiers couchers de soleil sur le Pacifique. C'est devenu un rituel seulement en 1991, quand j'ai passé mon premier hiver à Key West. Je vivais une rupture amoureuse et j'étais au bord du suicide. Heureusement, en découvrant les charmes de Key West et des Caraïbes, ma douleur s'est apaisée. La chaleur et l'océan m'ont soulagé en profondeur. Mais, à l'instar de bien des gens, j'aime la nature de loin. Je contemple le paysage comme si je regardais une peinture impressionniste. Car la nature peut être aussi très laide...

La nature est une guerre de chacun contre tous. Elle représente tout ce que la civilisation essaie de nier. C'est la loi du plus fort : la grosse bébite qui mange toujours la petite. La force brutale l'emporte sur l'intelligence. C'est la preuve parfaite que le monde est injuste et cruel. Le nature est une œuvre d'art qu'il vaut mieux regarder de loin.

L. B. Cette pièce a été un succès pour la Compagnie Jean-Duceppe, mais elle a été mal reçue par la critique à sa création. Dans le journal *Voir* du 20 septembre 1990, j'avais même écrit que *La Maison suspendue* était « hypothéquée par l'ennui » ! J'avançais aussi que vous étiez « un dramaturge plus habile avec la révolte que la réconciliation, et que vous manquiez de recul pour créer des personnages contemporains pertinents ». Le couple de Mathieu et Jean-Marc, qui était interprété par les comédiens Michel Poirier et Gilles Renaud (ce dernier incarnait également Jean-Marc dans *Les Anciennes Odeurs* aux côtés d'Hubert Gagnon), m'apparaît assez plat et banal.

M. T. Pourtant, c'est une pièce que j'aime. Elle est loin d'être parfaite... Mon erreur a été de vouloir écrire une pièce sur un sujet positif : la réconciliation. Les bons sentiments ne font pas du bon théâtre. Le rapprochement entre Édouard et Albertine a beau être touchant, ce n'est pas une situation théâtrale, du moins pas aussi dramatique que leurs conflits antérieurs. J'ai essayé quelque chose de différent. Et hélas, je me suis trompé...

L. B. Vous vous donnez donc le droit au risque, à l'échec ?

M. T. Pas à l'échec ! Un artiste ne se donne jamais le droit de rater une nouvelle œuvre. Chaque fois, il doit se persuader que ce qu'il écrit est la meilleure chose qu'il a fait de sa vie. Après la création, il peut reconnaître s'être trompé. Pas avant ! À trente ans, je n'aurais jamais pris le risque d'écrire *Les Anciennes Odeurs* ou *La Maison suspendue.* Avec raison. J'aurais trouvé que le thème de la réconciliation amoureuse ou familiale ne fait pas du bon théâtre. Aujourd'hui, je peux me dire : « Fais-le quand même, essaie-le, puis après tu verras si tu as eu raison. » Le théâtre n'est pas une science exacte. On ne peut pas réussir à chaque coup.

L. B. Dans une belle scène de *La Maison suspendue,* Édouard confie que, toute sa vie, il s'est épuisé à faire rire le monde pour éviter de provoquer un drame à propos de son orientation sexuelle « honteuse ». « C'est ça que j'ai trouvé, la dérision, pour avoir le respect du monde ! » dit-il à Albertine. À mon avis, cette réplique s'applique parfaitement à votre œuvre dramatique. Malgré son côté très noir, le comique est souvent là pour contrebalancer la gravité du drame des personnages...

M. T. Je crois que l'humour est un baume sur le malheur. Toute la fantaisie et la folie de la Duchesse est là pour cacher la peine d'Édouard. Ionesco a dit que « rien n'est plus tragique que le comique ». Or, adolescent, j'ai été influencé par le théâtre de l'absurde. J'ai vu les premières productions montréalaises de Beckett, Ionesco et Adamov, montées par la troupe les Apprentis Sorciers, à La Boulangerie, une petite salle de trente places, rue Marquette, dans le Plateau-Mont-Royal. J'ai vu Claude Gai et Jean-Guy Sabourin interpréter de façon mémorable le couple de vieux amants dans *Les Chaises,* d'Ionesco. En 1964, la grande comédienne française Madeleine Renaud est venue au Rideau Vert, avec la Compagnie Renaud-Barrault, jouer *Oh les beaux jours,* de Beckett. Cela aussi demeure un beau souvenir. Dans *Les Belles-Sœurs,* le vol des timbres-primes et toutes les séances de crêpage de chignon sont redevables aux auteurs absurdes. Il faut espérer que l'œuvre qui nous a influencés soit bonne afin de pouvoir en faire quelque chose d'aussi bon. Je répète souvent que mes grandes influences sont les Grecs, Samuel Beckett et Clémence Desrochers. Les gens pensent parfois que Clémence, c'est du snobisme à l'envers. Une boutade. Mais c'est vrai.

L. B. En quoi cette grande monologuiste vous a-t-elle influencé ?

M. T. En 1958, je l'avais vue à la télévision dire le monologue du Petit Chaperon rouge. Elle avait une espèce de vulnérabilité, de fragilité que les actrices n'ont pas quand elles jouent. De plus, Clémence parlait de nous autres de façon comique et respectueuse. Il y a de la moquerie mais aussi beaucoup d'empathie dans ses numéros. Avec Brassard, j'ai été la voir souvent avant d'écrire *Les Belles-Sœurs.* Je me rappelle la façon qu'elle avait de décrire tendrement le quotidien des femmes.

Cela m'a grandement influencé pour ma première pièce. D'ailleurs, en revoyant *Les Girls* récemment, j'ai réalisé que l'ode au bingo s'inspirait d'un numéro de ce spectacle de Clémence. Dans *Les Belles-Sœurs,* cette scène a le même rythme que « Tous les jeudis soir on se réunit et on va jouer au bowling... » !

EXTRAIT

MARCEL. J'aime ça quand tu chantes.

THÉRÈSE. Chus pas dans un mood pour chanter, Marcel.

MARCEL. C'te chanson-là, ça se chante dans n'importe quel mood. Ça va me calmer. Ça va m'endormir. J'te promets que ça va m'endormir.

Les cinq femmes entonnent Le Temps des cerises *qui monte très lentement dans la nuit noire.*

MARCEL. Qu'est-ce qu'on fait pour oublier les affaires qui font mal, Thérèse ? Où c'est qu'on peut se sauver ? Y'a-tu une place oùsqu'on peut se sauver, oùsque les affaires qui font mal peuvent pas nous rattraper ? Avant, pendant longtemps, j'en avais une place... Y'étaient quatre... Quatre femmes... Y prenaient soin de moé, y me montraient toute c'qu'y'avait à savoir, pis quand ça allait pas dans ma tête, y chantaient eux autres aussi pour me consoler. Pis ça me consolait pour vrai. Depuis que j'les vois pus, j'ai jamais eu de vraie consolation.

Marcel poursuivi par les chiens

DISTRIBUTION À LA CRÉATION

Compagnie des Deux Chaises,
Théâtre du Nouveau Monde, 4 juin 1992

Marcel : Robert Brouillette
Thérèse : Nathalie Gascon
Rose : Rita Lafontaine
Violette : Renée Claude
Mauve : Amulette Garneau
Florence : Gisèle Schmidt

– 15 –

MARCEL POURSUIVI PAR LES CHIENS

(1991)

L'écriture comme fuite du réel
La disparition d'un type de comédiens au Québec
La naissance des tricoteuses

LUC BOULANGER : *Marcel poursuivi par les chiens* est, parmi vos vingt-quatre œuvres pour la scène, l'une des moins populaires. Pourtant, la critique a été beaucoup moins sévère que pour d'autres de vos créations. *Le Devoir* titrait : « Une tragédie posée sur de la ouate. » Le critique de ce quotidien, Robert Lévesque, blâmait surtout la mise en scène d'André Brassard, et non votre texte. Il affirmait que « jamais peut-être Michel Tremblay n'est arrivé si près du théâtre qu'il considère comme modèle (...) ce théâtre de la tragédie grecque ». Or, le public n'a pas suivi. Comment expliquez-vous sa réponse peu enthousiaste ?

MICHEL TREMBLAY : Le TNM et la Compagnie des Deux Chaises produisaient une tragédie au début de l'été, quelques jours avant la grosse saison des festivals populaires à Montréal (le Festival de jazz et le Festival Juste pour rire). Je ne pense pas que des thèmes aussi « légers » que la schizophrénie et la vengeance étaient vraiment de circonstance... Mais nous avons quand même ajouté des supplémentaires.

L. B. Marcel est doté d'une très grande imagination. Préférant fuir la réalité, il dialogue dans cette pièce avec quatre tricoteuses invisibles. Dans *Un objet de beauté*, le sixième tome des *Chroniques du Plateau-Mont-Royal*, l'imaginaire de Marcel a libre cours ; tour à tour il se prend pour un peintre, un écrivain, un compositeur...

M. T. Marcel aurait bien voulu être un artiste, sauf qu'il n'en a ni la capacité ni le tempérament. Il est incapable de canaliser son imaginaire dans une œuvre artistique.

L. B. Dans une scène de *Marcel poursuivi par les chiens*, pendant que le chœur et Thérèse chantent *Le Temps des cerises*, Marcel dit : « Qu'est-ce qu'on fait pour oublier les affaires qui font mal, Thérèse ? Où c'est qu'on peut se sauver ? » Pour Michel Tremblay, l'écriture est-elle une fuite du réel ?

M. T. Sans l'écriture, la marmite aurait probablement sauté depuis longtemps ! Je serais peut-être aphasique comme Nelligan... Je serais peut-être moine à Saint-Benoît-du-Lac... Car dans ma vie privée, je suis incapable de faire face à mes problèmes. J'ai terriblement de difficulté à exprimer mes émotions. Le seul moment où je suis vraiment actif devant mes angoisses, c'est lorsque j'écris. Je fais carrément vivre mes douleurs à mes personnages. Plus jeune, avant d'être un auteur, quand tout allait mal, je fuyais dans le sommeil. J'ai encore une propension à dormir pour oublier mes problèmes. Littéralement, je « dors » mes douleurs. C'est une chance de pouvoir dormir ainsi. C'est mieux que de s'autodétruire ou d'être violent. Si tout le monde « dormait » ses problèmes, il n'y aurait pas de guerre, pas de criminalité ! Les gens dormiraient constamment ! Mais je ne pense pas être une exception : un écrivain apprend la vie à travers les personnages qu'il invente. J'ai toujours préféré lire des histoires assis dans mon salon que la vraie vie. Par exemple, j'aime mieux lire des romans sur la France ou le Brésil que de voyager en France ou au Brésil. Je n'ai guère l'âme d'un aventurier.

L. B. Outre l'imaginaire débordant de Marcel qui le rapproche de la folie, l'autre grande caractéristique de cette pièce, c'est la rage...

M. T. Je dirais plutôt la vengeance. Thérèse déteste sa mère. Et elle se consume dans son besoin de vengeance. Elle en est tellement aveuglée qu'elle ne voit pas la folie de son frère. Pourtant, elle l'aime. Elle a toujours protégé Marcel. Mais dans la pièce, Thérèse est trop concentrée sur sa propre douleur. Comme les personnages des tragédies grecques, elle est absorbée par le trop-plein de son malheur. Ce qui la rend complètement égoïste, voire égocentrique. Pour un égocentrique, sa souffrance est plus importante que tous les malheurs qui affectent le reste de l'humanité.

L. B. En effet, Thérèse est un personnage tragique exemplaire. On peut faire un parallèle avec Électre, entre autres ?

M. T. Je reviens toujours à Électre. Comme elle, Thérèse a une fascination pour sa douleur qui est proche du masochisme. Elle est convaincue d'avoir raison de souffrir. Ou plutôt : elle est persuadée qu'elle a toutes les raisons de souffrir. Alors, elle plonge dans la douleur comme dans un gouffre sans fond. Ce qui provoque ses excès, sa violence, son alcoolisme, ses colères, etc.

L. B. La scène se passe à Montréal en 1952. Thérèse est une alcoolique à une époque où des groupes comme les Alcooliques Anonymes étaient peu connus, et où une femme qui buvait était automatiquement ostracisée au Québec. Or ici, nous sommes en présence d'une femme qui va jusqu'à faire l'éloge de l'alcool.

M. T. Déjà, dans *En pièces détachées*, les voisines la qualifient de « démone ». Thérèse s'est mariée enceinte de quatre mois, habillée avec une robe bleu nuit, en plein mois de décembre ! Dans les années quarante, au

Québec, c'était impensable ! Thérèse est vraiment le mouton noir de mon théâtre.

L. B. Dans la scène précédant son mariage, Thérèse lance cette réplique aux voisines sur leur balcon : « Chus peut-être pas habillée en blanc, mais je l'ai, mon gars ! »

M. T. Or, très vite, elle va regretter d'avoir épousé Gérard. C'est son destin d'être mal aimée. Dans *Albertine, en cinq temps*, on apprend que Thérèse a été assassinée dans un *tourist room* du boulevard Saint-Laurent. *Dans Marcel poursuivi par les chiens*, la description que Marcel fait du meurtre de Mercedes pourrait être une prémonition du meurtre de sa propre sœur. Marcel serait un Cassandre qui annonce la mort de Thérèse. Mais on n'a pas besoin de le savoir tout de suite... Un jour, je veux raconter dans un récit les circonstances exactes de la mort de Thérèse.

L. B. Le personnage de Thérèse a été défendu par deux générations de comédiennes au Québec sur la scène et à la télévision. Avez-vous remarqué des nuances chez ces actrices au passé différent ?

M. T. Thérèse est un personnage multiple, et chaque actrice en dévoile une facette. Toutefois, je garde un souvenir impérissable de Luce Guilbeault. Elle avait la douleur et la peine de Thérèse au fond de ses yeux, et sur chaque trait de son visage. Denise Filiatrault livrait aussi parfaitement sa rage. Markita Boies, Sylvie Drapeau et Nathalie Gascon ont été les premières comédiennes à défendre le rôle sans avoir vécu dans les années cinquante. Leur jeu se basait davantage sur une connaissance intuitive de l'époque de Thérèse que sur un souvenir réel. D'ailleurs, je me rends compte qu'un type de comédiens est en train de disparaître au Québec : cette génération d'interprètes qui n'est pas passée par les écoles professionnelles de théâtre. Je pense à

Monique Miller, Rita Lafontaine, Denise Filiatrault, Janine Sutto, Huguette Oligny ou au regretté Jean-Louis Millette. Ils ont appris en autodidactes, auprès de metteurs en scène et non de professeurs. Aujourd'hui, c'est presque impossible de jouer au théâtre sans avoir passé par le Conservatoire d'art dramatique ou les écoles de théâtre. Si un autodidacte se risque sur les planches – je pense à Marina Orsini (dans *Les Années*, au Quat'Sous) ou à Pascale Bussières (dans *Les Sorcières de Salem*, au TNM) –, ça devient un événement médiatique !

L. B. Avec *Sainte Carmen...*, *Marcel poursuivi par les chiens* est une de vos pièces qui épousent le mieux la structure d'une tragédie grecque. Le chœur de quatre tricoteuses forme les coryphées qui commentent l'action. À la création, André Brassard a juché le chœur en haut de la scène, entre ciel et terre. Comment voyez-vous le rôle dramatique de ce chœur ?

M. T. Les tricoteuses sont comme une possibilité de bonheur et de réconciliation. Un bonheur impossible, bien sûr, car nous sommes dans une tragédie... Elles observent Marcel dans l'appartement de Thérèse. Chez les Grecs, le chœur commente ce qui s'est passé et dit pourquoi tout va si mal. Mais il ne prédit jamais l'avenir, car il ne le connaît pas : seuls les dieux peuvent prédire l'avenir. Or, ici, le chœur peut raconter le passé autant que prédire l'avenir. Il réalise que la famille d'Albertine est trop prise dans le malheur pour s'en sortir. À la fin de la pièce, les coryphées tentent en vain de sauver Marcel. Les tricoteuses agissent à la fois comme des déesses et des choreutes.

L. B. Les tricoteuses apparaissent pour la première fois dans le roman *La Grosse Femme d'à côté est enceinte.* Avec cette pièce, vous les introduisez dans votre théâtre. C'est un autre clin d'œil à la mythologie grecque...

M. T. Je me suis inspiré des Parques, ces trois femmes qui tissent le temps et coupent le fil avec des ciseaux à la fin de la vie. Une des plus importantes lectures de ma vie a été *Cent ans de solitude*, de Gabriel García Márquez. Ce roman m'a ouvert les horizons en me dévoilant qu'on pouvait mélanger le réalisme et le fantastique. Ce que j'ai fait d'abord pour *La Grosse Femme...*, puis au théâtre. Outre *Cent ans de solitude*, il y avait aussi que j'étais exaspéré de la religion des autres, qui vient d'ailleurs. J'ai donc essayé de donner une religion personnelle aux membres de la famille d'Albertine. C'est donc une mythologie originale et rattachée à cette famille-là. Au lieu de tisser le temps, comme chez les Grecs, les tricoteuses tricotent des pattes de bébé en laine. Et quand elles ont fini une patte, ça veut dire que quelqu'un de la famille va mourir...

L. B. Pour Marcel, c'est le début de la fin. C'est le moment où il va se réfugier dans son monde imaginaire. Après son ultime visite chez Thérèse, la folie devient sa seule issue. Enfant, Marcel était un schizophrène passif. Il avait des visions. Sans plus. Dans *La Grosse Femme...*, on le voit se concentrer pour faire apparaître le monde merveilleux des tricoteuses qui le réconfortent. Pourquoi avez-vous modifié son destin ici ?

M. T. Jusqu'à l'âge adulte, Marcel est une espèce de réceptacle : il ne sait pas qu'il invente des personnages imaginaires. À la fin de *Marcel poursuivi par les chiens*, il est en train de tout perdre. Sa source s'est tarie. À treize ans, Marcel ne peut plus fuir dans ses rêveries d'enfant. Dix ans plus tard, dans *En pièces détachées*, on le retrouvera interné dans une institution des Laurentides, après avoir mis le feu aux cheveux de sa mère, comme je le raconte dans mon roman *Un objet de beauté*.

L. B. Rose, une des tricoteuses, dit à propos de Marcel qu'il est « un p'tit enfant dans un corps d'homme ». Le journaliste du magazine *L'actualité*, André Ducharme a déjà écrit un portrait dans lequel il dit que vous vous comportez souvent comme un enfant. Michel Tremblay est-il aussi un gamin dans la peau d'un homme ?

M. T. Je suis plutôt un adolescent dans un corps d'adulte ! Au point de vue de mon métier, je suis encore un adolescent. Dans ma tête, j'ai seulement dix-sept ans ! Et tout ce qui s'est passé depuis 1968, ce n'est pas arrivé ! Dans ma tête, je suis encore un apprenti ; un jeune auteur qui rêve d'être joué un jour par Denise Pelletier ! Sincèrement. Une vedette, pour moi, c'est quelqu'un d'autre. Une star, c'est Denise Pelletier, Monique Leyrac ou Jean Gascon. Pas moi ! J'ai rencontré des gens – au Salon du livre de Montréal, par exemple – qui tremblaient en me demandant un autographe tellement ils étaient intimidés. Comment puis-je provoquer ce genre de réaction ? Pour moi, c'est irréel ! Tout ce que j'ai vécu depuis trente ans demeure anecdotique ! Mon succès est réel, mais ce que je ressens à l'intérieur est anecdotique. Depuis *Les Belles-Sœurs*, j'ai chaque jour l'impression qu'un beau matin tout ça va cesser...

EXTRAIT

GASTON BERGEVIN. Diriger une station de télévision, mon p'tit gars, c'est avoir affaire d'un côté à une gang de têtes folles pis de tèteux qui sont prêts à tout pour te plaire parce que c'est à travers toi qu'ils peuvent réussir, et de l'autre à un peuple de Ti-Coune, j'y reviens, comme tu vois, qui va gober tout c'que tu vas lui servir à condition que tu le bouscules pas trop !

En circuit fermé

DISTRIBUTION À LA LECTURE

Théâtre du Nouveau Monde, 9 mai 1994

Gaston Bergevin : Gérard Poirier
Sonia Bergevin : Monique Joly
Robert « Bob » Beaulieu : Gilles Renaud
Nelligan Beaugrand-Drapeau : Denis Mercier
Sybille Berger : Diane Lavallée
Amanda Gariépy : Amulette Garneau
Marco : Michel Poirier
Carole : Danielle Lorain

– 16 –

EN CIRCUIT FERMÉ

(1994)

Un règlement de comptes avec la télé ?
Le premier téléroman gai en Amérique
Requins et panier de crabes

LUC BOULANGER : En 1989, vous proposez à Radio-Canada un téléroman inspiré des personnages de Jean-Marc, Mathieu et du couple de lesbiennes du *Cœur découvert*. Ce projet a été refusé. Cinq ans plus tard, vous provoquez un événement au TNM, avec une lecture-spectacle d'une pièce contre les dirigeants de la télévision publique. À la une du quotidien *Le Devoir*, on dresse un parallèle entre la charge d'*En circuit fermé* et celle de Molière qui s'en prenait aux dévots et aux curés de la France de Louis XIV. Il n'en fallait pas plus pour que vos détracteurs aiguisent leur couteau ! Une rumeur dit que Michel Tremblay a écrit *En circuit fermé* pour régler ses comptes avec un milieu qui l'a longtemps boudé...

MICHEL TREMBLAY : C'est ridicule. Tout le monde sait fort bien que je n'attendais pas après la télévision pour gagner ma vie ! Depuis 1969, des télédiffuseurs me sollicitaient, et je refusais toujours leurs offres. Après *Les Belles-Sœurs*, Robert L'Herbier, alors directeur de Télé-Métropole, m'a demandé de lui proposer un téléroman. Je lui ai répondu que je ne pensais pas avoir assez de talent pour être intéressant trente minutes chaque semaine. Plus tard, Richard Martin, de Radio-Canada, a rappliqué, et j'ai refusé de nouveau. Finalement, à la fin des années quatre-vingt, j'ai trouvé un projet à mon goût. La plupart des téléromans se ressemblaient beaucoup : ils parlaient tous du terroir. J'ai proposé une série résolument urbaine et le premier téléroman au monde avec des personnages principaux gais. C'était huit ans avant le tabac provoqué par le *coming out* de la comédienne Ellen DeGeneres, aux États-Unis. J'ai donc soumis les quatre premiers épisodes à Radio-Canada.

L. B. Et pourquoi la direction de Radio-Canada avait-elle alors refusé votre projet ?

M. T. Elle m'a dit que j'étais un grand dialoguiste... mais que mon téléroman n'était pas bon. Après quatre épisodes, mes intentions demeuraient floues à leurs yeux. Avec le temps, j'ai su que la direction avait peur du sujet. Or, personne n'a été capable de dire : « Écoutez, on ne peut pas assumer ça. C'est un thème trop risqué. On va perdre des annonceurs... »

L. B. Ce projet a-t-il des liens avec *Le Cœur découvert*, la télésérie, que vous avez écrite pour Radio-Canada en l'an 2000 ?

M. T. C'est exactement le même projet... Dix ans plus tard, c'est bien vu et à la mode de parler des gais à la télé. La télévision américaine diffuse avec succès des émissions comme *Will and Grace* et *Queer as Folk.*

L. B. On connaît votre tempérament, vous vous qualifiez de tête de cochon. Pourquoi, en 1989, ne pas avoir persisté comme font bien des auteurs après un refus des producteurs ?

M. T. Je me suis senti soulagé par ce rejet ! J'avais envie de faire de la télévision et, en même temps, à l'époque, je ne me voyais pas écrire une heure de fiction par semaine durant deux ans. Je suis donc passé à autre chose. En 1990, j'ai habité six mois à New York, au

Studio du Québec, dans SoHo, où j'ai commencé à écrire le premier recueil de récits autobiographiques, *Les Vues animées*. Si mon téléroman avait été accepté, je n'aurais probablement pas entamé ces récits autobiographiques dont je suis très fier.

L. B. Qu'est-ce qui vous a donc motivé à écrire *En circuit fermé* ?

M. T. Au printemps 1993, la directrice du TNM, Lorraine Pintal, avait lancé un concours de pièces épiques. J'avais beau chercher, je ne trouvais pas de pièces de théâtre épique modernes. Nous vivons dans un monde tellement cynique que l'héroïsme est tombé en désuétude. La population n'est plus aussi naïve envers ses héros. Grâce aux médias, les gens savent que les héros sont souvent des bandits.

Je me suis demandé de quoi pourrait traiter une pièce épique en cette fin de siècle. J'ai pensé situer l'action dans le monde politique, mais comme je connais peu ce milieu, je me suis rabattu sur la télévision, un monde aussi cynique que la politique. La télévision pourrait avoir une fonction éducative dans le bon sens du terme. Mais elle est devenue une industrie sans scrupules, dirigée par une poignée de gens qui font énormément d'argent sur le dos du talent des autres. Je voulais montrer ces dirigeants dans les coulisses de notre télévision. Comme c'est un pamphlet, je ne me suis pas gêné pendant l'écriture pour exagérer au maximum les situations en m'éloignant du réalisme. J'ai même donné aux personnages antipathiques – comme la chroniqueuse de télévision d'un grand quotidien – des raisons pour expliquer leur comportement. J'aime donner de bons arguments à mes méchants et de mauvais à mes héros.

L. B. L'action se tient pendant la conférence de presse du lancement de la nouvelle saison de la « Télévision nationale ». On voit toutes les manigances des journalistes, des directeurs et des producteurs autour du lancement. C'est une séance de pétage de bretelles, de médisance, de « bithchage » et de copinage intéressé. Tout ce beau monde se renvoie des ascenseurs, ou se fabrique des *black lists.* Vous donnez dans la caricature ?

M. T. Oui, mais malgré la caricature de la charge, après la lecture au TNM, des gens du milieu m'ont dit que ça reste en dessous de la réalité ! Qu'en vérité, c'est quinze fois pire ! Comme quoi la réalité dépasse toujours la fiction. Personne ne peut prétendre que le milieu de la télévision n'est pas pourri et sans merci. La raison est simple : l'argent. Il y a des requins là où il y a du poisson à manger. À la télévision, un groupe minuscule fait beaucoup d'argent. Au théâtre, à Montréal, il n'y a pas assez d'argent à faire. Alors on retrouve moins de requins.

L. B. Espériez-vous qu'*En circuit fermé* allait changer quelque chose, que la pièce allait être produite et porter ombrage à l'industrie de la télévision ?

M. T. Pas du tout ! J'avais cinquante-deux ans quand j'ai écrit ce texte, je n'étais pas naïf. Je savais très bien que cette pièce ne changerait rien à l'industrie de la télévision. Je l'ai écrite pour me sentir mieux avec moi-même. C'est tout. Ensuite, après la lecture au TNM, je me suis rendu compte que ce texte est plus efficace lu que mis en scène. Généralement, j'écris des pièces difficiles à monter. Or, celle-ci est formellement facile à diriger pour un metteur en scène. Avec Camille Goodwin et la Compagnie des Deux Chaises, j'ai préféré produire une série de lectures pour le grand public au Monument-National. On a fait seulement des demi-salles pendant onze soirs. Ça fait tout de même quatre mille personnes pour des lectures !

L. B. En 1976, vous avez écrit le scénario de *Parlez-nous d'amour,* réalisé par Jean-Claude Lord. Ce film se penche aussi sur le monde « corrompu » de la télévision. En gardez-vous un bon souvenir ?

M. T. Avec *Parlez-nous d'amour*, j'ai carburé à la colère. J'avais écouté quatre heures d'entrevue avec l'animateur Jacques Boulanger. Il racontait des choses incroyables sur ce milieu. J'étais sidéré ! J'ai eu assurément plus de plaisir à écrire *En circuit fermé*.

L. B. Au lendemain de la sortie de *Parlez-nous d'amour*, vous avez évoqué une « conspiration du silence ». Comme personne ne parlait du film, il a été rapidement retiré de l'affiche. Au contraire, la première lecture d'*En circuit fermé* a été hyper-médiatisée. Le TNM a fait salle comble et même refusé des spectateurs à la porte. Comment avez-vous vécu cette soirée où l'atmosphère était survoltée ?

M. T. C'était une soirée mémorable. Mais le plus étonnant, c'était de voir tous les caméramans des différents réseaux de télévision filmer une lecture ! Il y avait sept caméras ! Je n'ai jamais vu ça pour la première d'une pièce ou d'un spectacle de variétés.... Et là, c'était UNE LECTURE, avec des comédiens debout devant des lutrins ! Ça prouve le nombrilisme des médias. La télévision s'est intéressée à *En circuit fermé* parce que ça parle de... télévision. Point.

L. B. Vous êtes un téléphage et un cinéphile averti. Dans *Les Vues animées*, vous revenez sur les films phares de votre jeunesse. Vous avez également été membre du jury du Festival des films du monde de Montréal, à la fin des années quatre-vingt. Quels rapports entretenez-vous avec le cinéma ?

M. T. Un rapport d'amour et de haine. J'aime le cinéma pour en voir, mais je déteste l'industrie cinématographique, car, encore là, les intérêts financiers priment sur l'artistique. *Françoise Durocher, waitress*, réalisé par

Brassard, a mérité trois prix Génie à Toronto en 1972. Fier de ce succès, j'ai ensuite écrit les scénarios de trois longs métrages en trois ans : *Il était une fois dans l'Est*, qui a représenté le Canada au Festival de Cannes en 1973, *Parlez-nous d'amour* et *Le soleil se lève en retard*, en 1976. Ce dernier film a connu sa part de problèmes... Brassard a été obligé de tourner en moins de temps que prévu. Le résultat final n'était pas convaincant. Et j'ai réalisé que je n'étais pas fait pour la grosse machine de l'industrie du cinéma. Vingt ans plus tard, Denise Filiatrault a adapté mon roman afin de réaliser son premier long métrage : *C't'à ton tour, Laura Cadieux*. Denise Filiatrault a tourné l'année suivante une suite, *Laura Cadieux : la suite*. Mais je ne me suis pas impliqué dans l'écriture de ces projets.

L. B. Cinq ans après la lecture-événement d'*En circuit fermé*, l'auteure Fabienne Larouche a déclenché une controverse autour d'irrégularités qui seraient commises par des producteurs de télévision. Selon elle, certains d'entre eux s'enrichissent avec de généreuses subventions au lieu d'investir les sommes dans le création télévisuelle. Au détriment de la qualité des productions télévisuelles. Que pensez-vous de cette polémique ?

M. T. Ça fait trente ans qu'on le sait que certains producteurs privés se mettent de l'argent public dans leurs poches. On peut donner des noms de producteurs riches avec des maisons en Provence, mais personne ne peut rien prouver. Au début d'*En circuit fermé*, un personnage déplore d'ailleurs qu'on fasse payer le public trois fois pour une téléсérie : avec les impôts, avec les subventions gouvernementales, puis avec les produits qu'on annonce pendant les émissions. Le premier titre de ma pièce était « Un panier de crabes dans un ascenseur ! ». Pour moi, c'est ça le milieu de la télévision : un système de renvois d'ascenseurs qui se pratique sur des terrains de golf !

L. B. Après avoir travaillé avec le producteur du *Cœur découvert*, Claude Héroux, vous le pensez toujours ?

M. T. Je ne vais pas me réconcilier avec le milieu de la télévision parce que j'ai fait une série. Les choses n'ont pas changé pour autant. Tous les jours, on a la preuve que c'est un monde de requins qui carbure à l'argent.

L. B. Est-ce que l'écriture télévisuelle a été facile à apprivoiser ?

M. T. J'ai dû mettre une bombe dans tout ce que je maîtrisais de l'écriture dramatique. C'était presque repartir à zéro. Au théâtre, j'écris presque toujours des pièces en un acte avec une seule montée. Et là je devais apprendre à réaliser un épisode avec cinq montées dramatiques, cinq scènes de neuf minutes pour respecter les blocs de publicités. Si une scène fait douze minutes, on doit obligatoirement la couper même si elle est très bonne. Pour moi, c'est contre nature. J'avais l'impression d'avoir un stencil et de remplir les trous...

EXTRAIT

GÉRARD. Y faisait tellement beau, tellement chaud, ce soir-là, pis... j'me sentais... cochon... tu vois c'que j'veux dire ? J'me sentais cochon comme ça m'était pas arrivé depuis des années pis j'avais envie de quequ'chose d'autre, d'une... d'une chair moins molle que la mienne, moins molle que la tienne... d'un corps dur, jeune, noueux, que je connaissais pas pis qui me fournirait en fantasmes pour le reste de mes jours si jamais c'était vraiment la dernière fois que je sortais de la cage qu'on s'est bâtie tous les deux pour se protéger du monde extérieur... (...) Quand j'me sus retrouvé sur le dos au milieu du gazon qui me piquait comme quand j'étais jeune, avec un visage si beau au-dessus de moi, un visage inconnu qui me souriait, comprends-tu, qui me souriait parce que ce gars-là était conscient du cadeau qu'y me faisait en me baisant, y'était pas conscient du germe qu'y plantait en moi, ça j'en suis convaincu, y'était juste conscient du cadeau qu'y me faisait de sa beauté pour quelques minutes...

Messe solennelle pour une pleine lune d'été, XII

DISTRIBUTION À LA CRÉATION

Théâtre Jean-Duceppe, 14 février 1996

Mathieu : Marc Béland
Louise : Frédérique Colin
Isabelle : Renée Cossette
Yvon : Michel Dumont
Jeannine : Muriel Dutil
La veuve : Rita Lafontaine
Mireille : Sylvie Léonard
Gérard : Jean-Louis Millette
Gaston : Gilles Renaud
Yannick : Stéphane Simard
Rose : Louise Turcot

– 17 –

MESSE SOLENNELLE POUR UNE PLEINE LUNE D'ÉTÉ

(1995)

La pièce la plus noire de Tremblay
Le syndrome de la maudite première
Le sida au théâtre
Hommage à Jean-Louis Millette

LUC BOULANGER : À l'instar de *Marcel poursuivi par les chiens, Messe solennelle pour une pleine lune d'été* a été éreintée par la critique. Comment avez-vous reçu cette autre douche froide ?

MICHEL TREMBLAY : Pendant toute l'année qui a précédé sa création, il y a eu un véritable enthousiasme autour de ce texte, un *hype* comme je n'en avais pas vu depuis longtemps. Tout le monde trouvait ça bon : deux compagnies se sont battues pour la produire ; Brassard m'a confié que c'était une de mes meilleures pièces et qu'elle « fessait fort » ; mon éditeur, Pierre Filion, était très enthousiaste, et son associée, Lise Bergevin, m'a téléphoné en prédisant que *Messe solennelle...* pourrait devenir une bombe de la puissance des *Belles-Sœurs* ; des comédiens, des amis, des directeurs artistiques m'ont avoué avoir abondamment pleuré en lisant la pièce ; finalement, aux deux avant-premières chez Duceppe, la salle était en délire ! Puis arrive la première. On pouvait entendre une mouche voler pendant deux heures. À la tombée du rideau, pas de réactions. Les dix spécialistes payés pour commenter la pièce n'ont pas aimé... Du jour au lendemain, *Messe solennelle...* est devenue pourrie. Et ceux qui aimaient ça se faisaient traiter d'imbéciles !

L. B. Vous semblez encore sur la défensive. Croyez-vous avoir été injustement traité ?

M. T. Une création est toujours casse-cou. Certes, je ne fais pas pitié. Mais c'est toujours éprouvant pour un auteur de se faire descendre par tout le monde. La seule critique constructive que j'aie lue, c'est celle du journaliste de Québec Rémy Charest, dans *Le Devoir.* Il a écrit, à propos de la production du Trident au Grand Théâtre : « Notre auteur national essaie encore de nouvelles choses, au risque de se tromper... » Ç'a été un baume sur mes blessures. Parce que ça m'a fait mal ! Pas parce qu'on n'a pas aimé ma pièce, mais parce que j'ai eu l'impression d'être totalement mis de côté, et qu'on me balayait du revers de la main ! J'avais l'impression que personne n'avait pris la peine d'écouter ce que je voulais dire avec cette pièce.

L. B. Vous vouliez dire quoi ? C'est un constat d'échec en quelque sorte ?

M. T. *Messe solennelle...* représente un peuple qui a fait le ménage extérieur, en négligeant de faire le ménage intérieur. Comme ces yuppies propriétaires du Plateau-Mont-Royal occupés à poser de nouvelles fenêtres et rénover leurs triplex, mais qui ont oublié de faire leur introspection. Dans *Messe solennelle...*, ces gens-là viennent devant nous et nous montrent à quel point ils souffrent intérieurement. C'est un requiem. Et sûrement la pièce la plus noire que j'aie jamais écrite – et même vue – dans ma vie.

L. B. Avec *À toi, pour toujours, ta Marie-Lou,* vous avez élaboré une construction dramatique très personnelle et d'une remarquable efficacité. Trente ans plus tard, vous poursuivez cette exploration de la temporalité. Qu'avez-vous voulu essayer formellement avec *Messe solennelle...* ?

M. T. On dit souvent de mes personnages qu'ils sont sur le bord de « chanter » leurs répliques. J'ai eu envie d'aller le plus loin possible dans le lyrisme, d'explorer quelque chose de nouveau. J'ai donc eu l'idée de transposer les différentes parties d'une messe catholique dans une pièce de théâtre. Pendant une messe, toute la gamme des sentiments humains est représentée. En trois quarts d'heure, on passe de l'élévation spirituelle aux profondeurs des abîmes. Là où je me suis trompé – je l'admets –, c'est en situant l'action dans un décor réaliste. En écrivant, je voyais des façades de triplex du Plateau-Mont-Royal et les personnages assis sur leur balcon. Serge Denoncourt et André Brassard (qui ont signé les mises en scène respectivement au Trident et chez Duceppe) m'ont averti qu'une telle scénographie était irréalisable. Une maison de trois étages sur une scène étoufferait le jeu des acteurs. Les comédiens juchés en haut auraient la tête dans les éclairages et seraient trop loin du public. Les deux ont opté pour une scénographie allégorique. J'aurais dû le savoir : ça fait trente ans que j'écris des pièces, je devrais connaître les contraintes techniques du théâtre. C'est mon erreur.

L. B. Pourtant, un artiste a le droit de se tromper... Et le doute est intrinsèquement lié à la création...

M. T. Je rencontre parfois des journalistes qui me disent : « Voyons donc ! Ça fait trente ans que vous faites ce métier-là. Vous êtes au-dessus de la critique... » Dans les faits, je doute tout le temps. Je ne suis pas pleurnichard. Mais c'est normal que ça me fasse mal d'être critiqué. Ce n'est pas parce que j'ai eu du succès que je suis fait en bois ! Je mets encore toutes mes tripes dans ce que j'écris. J'essaie de rester le plus honnête possible, de donner tout ce que j'ai dans ce que je fais. Si le résultat est moins bon, l'investissement émotif est semblable. D'ailleurs, quand un journaliste publie un livre, il réagit promptement aux mauvaises critiques dans les médias. Pourtant, il devrait bien connaître les règles du jeu... N'est-ce pas ?

L. B. J'imagine que c'est une réaction très humaine. Quand on critique son œuvre, le créateur se sent visé personnellement. Cependant, certaines personnes acceptent mieux la critique que d'autres. Par exemple, vous êtes plus vulnérable face aux critiques de vos pièces qu'à celles de vos romans. Comment expliquez-vous cette différence ?

M. T. Au théâtre, tout le monde vient juger du résultat le même soir. Du jour au lendemain, tu peux devenir génial ou nul. Dans le cas d'un roman, les articles sont décalés, et les lecteurs ne lisent pas tous le livre le même soir. Ça fait quinze ans que je répète aux attachés de presse de ne pas remplir une salle d'invités aux premières. Mais les relationnistes veulent créer un événement médiatique. Le comédien Normand Lévesque appelle ça « la première enfant de chienne » ! En vieillissant, c'est de plus en plus insoutenable, une création au théâtre. Après la pénible expérience de *Messe solennelle...*, j'ai cessé d'écrire pour le théâtre pendant près de trois ans... Pour la première fois de ma vie, j'ai publié quatre romans de suite et aucune pièce. Je n'avais jamais été méfiant avec le théâtre. Je doutais, mais je n'étais pas méfiant. Or, maintenant, je me méfie. Quand madame Mercedes Palomino m'a demandé une nouvelle pièce pour le cinquantième anniversaire du Théâtre du Rideau Vert – et le trentième des *Belles-Sœurs* –, j'ai d'abord refusé. Je n'avais pas de sujet. J'étais complètement bloqué ! Heureusement, c'est revenu. Je suis passé par-dessus.

L. B. Outre la vulnérabilité, qu'est-ce qui peut empêcher un dramaturge de votre envergure d'écrire de nouvelles pièces ?

M. T. La chose la plus épouvantable au théâtre, c'est le petit milieu qui évolue en circuit fermé. Je ne veux pas écrire pour la douzaine de personnes qui gagnent leur vie à juger mes pièces. Le théâtre est formé de trois blocs : les créateurs, les commentateurs et le public. Ce qui me choque, dans cette dynamique théâtrale, c'est qu'on néglige toujours le troisième bloc : les spectateurs qui paient leurs places pour aller au théâtre et qui sont souvent traités comme des épais. Leur avis n'a pas d'importance. D'ailleurs, cela devient assez général. La polémique autour du lancement de mon roman, *Quarante-quatre minutes, quarante-quatre secondes,* en est un bel exemple : les médias s'autoanalysent à travers un événement littéraire. Les journalistes écrivent pour leurs collègues au lieu de leurs lecteurs. Dans *La Presse,* Lysianne Gagnon a commenté un article de Mario Roy, et ce dernier lui a répondu. Puis ils sont allés en parler dans un talk-show à la télévision ! Et le livre dans tout ça ? Les lecteurs de *La Presse* veulent peut-être savoir de quoi le livre parle pour se faire leur propre idée, pour l'acheter ou pas.

L. B. Cette pièce aborde, entre autres, la réalité du sida. Vous avez parlé de ce virus pour la première fois dans le roman *Le Cœur découvert,* en 1986. Pourquoi avoir attendu dix ans avant d'aborder le sida au théâtre ?

M. T. Pour moi, une bonne pièce sur le sida, c'est une pièce dans laquelle la maladie n'est pas nommée. Car il faut éviter de figer une pièce dans le temps. Par exemple, *The Normal Heart,* de Larry Kramer, créée en 1985 à New York, contient un très grand premier acte... mais un très mauvais deuxième acte. Au deuxième acte, l'auteur est tombé dans le mélo en mettant le sida au centre de son œuvre. La maladie ne sera jamais un thème dramatique.

N'importe quelle maladie. *La Dame aux camélias* d'Alexandre Dumas n'est pas une pièce sur la tuberculose. Le sida peut figurer dans une pièce ayant un autre thème : la colère, la révolte, la peur de la mort, etc. Mais pas en être le sujet principal.

L. B. Dans *Messe solennelle...*, le sida vous a permis de dire des choses à propos de l'amour (et de la sexualité) que vous avez qualifiées de politiquement incorrectes. Par exemple, le sidéen avoue à son conjoint ne rien regretter de son passé (il a eu une relation sexuelle anonyme avec un beau jeune homme qui lui a transmis le virus). Comment justifiez-vous cette surprenante confession ?

M. T. Pour lui, les dix minutes de jouissance procurée par une furtive aventure valaient bien la souffrance de sa maladie. Car il s'est senti désiré et infiniment vivant pendant cette relation sexuelle. Ce ne sont pas des choses qu'on entend souvent. On préfère parler de *safe sex*, d'abstinence, de santé, de fidélité...

L. B. Ce personnage a été créé par le comédien Jean-Louis Millette, décédé subitement à l'automne 1999. Vous avez bien connu ce grand acteur. Croyez-vous qu'il soit irremplaçable ?

M. T. C'était le plus grand acteur de sa génération et un des derniers grands acteurs du Québec. Il avait une vaste culture générale, chose qui est de plus en plus rare de nos jours. Il possédait cette intelligence qui pousse un comédien à décortiquer chaque virgule d'un texte. Je l'ai vu chez moi, à Key West, répéter le personnage du comte de Gloucester, dans *Le Roi Lear*, de Shakespeare. C'était fascinant de voir un acteur de sa trempe se battre avec un aussi grand texte. Il avait besoin de comprendre le pourquoi de chaque mot. Même si, avec son expérience, il pouvait facilement être assez convaincant pour nous faire croire qu'il comprenait toutes les répliques. Puis il aimait tous les aspects de son métier. Et il était accepté par tout le monde. Il pouvait jouer autant dans une tragédie classique au TNM que dans un vaudeville au Théâtre des Variétés. Et c'est rare qu'on puisse se faire respecter, dans ce métier, en passant d'un genre à l'autre. Je ne sais pas s'il est irremplaçable, mais je sais qu'il est inoubliable.

EXTRAIT

LE NARRATEUR. Laisse-moi vivre ma vie comme je l'entends. (...)

NANA. J't'ai trop laissé rêver ! J't'ai trop *encouragé* à rêver, J't'ai trop laissé lire c'que tu voulais trop jeune, j'ai trop regardé de téléthéâtres avec toi, en sachant très bien que ça rentrait en toi comme du poison, parce que tu passeras peut-être jamais de l'autre côté, du côté des artistes, du côté de ceux qui écrivent, qui jouent, qui dansent, qui filment, comme tu le voudrais ! Tu f'ras peut-être rien de ta vie parce que j't'aurai trop laissé rêver, pis ça va être de ma faute !

LE NARRATEUR. Dis pas ça ! J'te serai toujours reconnaissant de m'avoir laissé rêver, moman ! Tout ce que j'ai, j'le tiens de toi ! Moi aussi chus dramatique, moman, moi aussi j'me fais des grands monologues pour m'étourdir, moi aussi chus prêt à me moquer de tout pour éviter de faire face aux choses ! C'est pas un défaut, moman, c'est une qualité, pis c'est peut-être ça qui va me sauver !

Encore une fois si vous permettez

DISTRIBUTION À LA CRÉATION

Théâtre du Rideau Vert, 4 août 1998

Nana : Rita Lafontaine
Le Narrateur : André Brassard

– 18 –

ENCORE UNE FOIS, SI VOUS PERMETTEZ

(1997)

La figure de la mère
Le don de la transposition
Les limites du talent

LUC BOULANGER : Après *Messe solennelle...*, vous étiez « bloqué », en panne d'inspiration. Vous n'aviez plus envie d'écrire pour le théâtre. Or, voilà qu'à la fin de l'été 1998, une autre pièce de Michel Tremblay prend l'affiche simultanément en français au Rideau Vert, et en anglais au Centaur. Elle connaît un succès immédiat dans les deux langues officielles du Canada ! Cela prouve que, pour un écrivain, le besoin de s'exprimer passe avant toutes choses...

MICHEL TREMBLAY : Quand le sujet s'est imposé, l'appréhension de ce qu'on pourrait penser de ma nouvelle pièce, même après l'insuccès de la création de *Messe solennelle...*, était moins forte que ma passion pour le théâtre. J'ai plongé dans l'écriture de cette pièce en reprenant le personnage de Nana dans *Douze coups de théâtre.* D'ailleurs, je constate qu'en 1998, j'ai fait mourir deux fois ma mère : dans une grande scène d'*Un objet de beauté*, ainsi que dans *Encore une fois, si vous permettez.* Je suis un fils ingrat !

L. B. Curieusement, avant cette pièce, vous n'avez pas représenté directement votre mère sur scène. Avec Germaine Lauzon, dans *Les Belles-Sœurs*, on pouvait deviner des traits maternels. Dans *La Maison suspendue*, elle était encore dans la peau de la Grosse Femme. Toutefois, ici, avec le personnage de Nana, vous enlevez l'équivoque : Nana était le vrai surnom de votre mère, Rhéauna Rathier. Pourquoi avoir finalement laissé tomber le masque de la fiction ?

M. T. En vieillissant, je mélange de plus en plus la réalité et la fiction. Je deviens davantage introspectif. À vingt ans, je blâmais les autres pour mon malheur. Aujourd'hui, je me pose plus de questions. Bien sûr, cela modifie mon écriture.

L. B. Lors de la production de cette pièce dans la capitale américaine, un critique du *Washington Post* a écrit qu'aux États-Unis, on pratique le *Mom's-to-blame-culture*, et qu'ainsi il serait inimaginable qu'un écrivain fasse une telle déclaration d'amour à sa mère. En 1974, par l'entremise de *Bonjour, là, bonjour*, vous aviez déjà dit à votre père que vous l'aimiez. Pourquoi avoir attendu deux autres décennies pour exprimer votre amour à votre mère dans une pièce ?

M. T. Dans la vie, il y a souvent un être, mort ou vivant, à qui nous n'osons pas – ou n'avons pas pu – exprimer quelque chose. Pour toutes sortes de raisons : il est parti trop tôt ; nous manquons de courage, de sincérité ou la communication est difficile. Alors, notre vérité lui échappera toujours. Dans mon cas, cette personne, c'est ma mère. Avec mon père, ç'a été plus facile, parce qu'il a toujours été une espèce d'étranger. Un homme que j'adorais, mais avec qui j'ai eu finalement peu de contacts. Avant les influences artistiques, il y a la formation. Et mon mentor, c'est ma mère. Elle m'a tout donné : mon sens critique, mon côté comique et mélodramatique, mon penchant pour l'exagération – donc pour la transposition, ma tête de cochon, ma mauvaise foi... Avant que je ne devienne dramaturge, ma mère m'a donc transmis l'essence de la théâtralité. C'est normal qu'*Encore une fois...* arrive au bout de quarante ans d'écriture. J'avais besoin de recul et d'expérience pour écrire cette pièce. Au début de ma carrière, j'aurais fait un hommage à ma mère. Or, ici, je lui suis simplement reconnaissant.

L. B. En quoi le personnage de Nana ressemble-t-il à la personnalité ou au caractère de votre mère ?

M. T. Enfant, en habitant avec ma tante Robertine, j'ai réalisé ma chance : si j'avais été son fils, j'aurais probablement été révolté ou malheureux, comme Thérèse. Or, ma mère a lutté toute sa vie pour être heureuse et fuir le malheur. Nana a le côté optimiste et positif de ma mère. C'est une pièce très positive. Souvent, les gens m'accusent de ne pas me renouveler, probablement parce que j'utilise les mêmes personnages. Ici, pour une fois, j'ai écrit un hymne à la vie, plutôt qu'une critique de la société.

L. B. Votre mère est morte en 1963. Elle n'a donc jamais vu ou lu vos pièces. Elle est partie trop tôt pour réaliser ce que vous êtes devenu. Est-ce que vous regrettez qu'elle n'ait jamais pu voir votre travail ?

M. T. Bien sûr... Mais parfois, je pense que ma mère est partie pour mon bien. Quand j'ai commencé à écrire, ma mère a eu l'élégance de se retirer sur la pointe des pieds... C'est curieux, mais j'ai l'impression que si elle avait vécu plus longtemps, je n'aurais jamais écrit *Les Belles-Sœurs* en 1965...

L. B. Comment expliquez-vous cette impression ?

M. T. Quand j'ai commencé à écrire de la fiction en 1959, avec *Le Train*, j'avais un autre style. Je ne crois pas que j'aurais assumé la langue de mon théâtre si j'avais su que ma mère allait pouvoir lire mes pièces. Je crois que j'aurais eu peur de la choquer ou de la décevoir. Je me serais censuré... L'année suivant le décès de ma mère, je me suis lié d'amitié avec André Brassard. Je suis persuadé que si ma mère et André s'étaient connus, ils auraient été en conflit ! Pas ouvertement. Je veux dire que, pour moi, ces deux influences auraient été en conflit. L'influence de ma mère partie, celle d'André Brassard a pu librement s'exercer. Je n'ai jamais été obligé de choisir entre les deux.

L. B. Rita Lafontaine a créé le rôle de Nana au Rideau Vert et la comédienne canadienne-anglaise Nicola Cavendish l'a défendu au Centaur. En voyant ces actrices incarner Nana, Michel Tremblay a-t-il vu se profiler l'ombre de sa mère sur scène ?

M. T. Non. Et j'espère que cela ne se produira jamais... Quand j'écrivais, je revoyais ma mère en pensées. Sur scène, je vois plutôt la transposition de ces pensées. Pour être efficace, l'art doit sublimer la vie, magnifier la banalité du quotidien. Je dis toujours que dans mes œuvres, les situations sont vraies, mais les dialogues inventés. J'aime partir de la vie, pour ensuite m'éloigner le plus possible du naturalisme. Comme Nana, je pense que « les affaires sont jamais assez intéressantes pour qu'on les raconte telles quelles ».

L. B. Votre facilité de transposer provient du sens de l'exagération de votre mère. Il n'y a donc aucune place pour le réalisme dans votre littérature ?

M. T. Je refuse de transcrire la vie telle quelle. Ma pire crainte, c'est de faire du reportage. Je ne veux pas être un reporter de la quotidienneté. Si j'écrivais des pièces réalistes, elles seraient sûrement mauvaises. La transposition m'est venue naturellement. Sans le savoir, au début de ma carrière, j'ai utilisé la structure dramatique pour m'empêcher de coller à la réalité. Déjà dans *Les Belles-Sœurs*, avec les monologues et le chœur, on retrouve un bon dosage de réalité et de théâtralité.

L. B. L'écrivain américain Richard Ford affirme que les créateurs sérieux ne parlent jamais de talent pour qualifier leur travail, car ils savent qu'il n'est qu'un premier pas vers l'accomplissement d'une œuvre d'art. Dans la même lignée, son compatriote, Raymond Carver, croyait que le talent demeure un premier pas vers l'accomplissement d'une œuvre d'art. Pour ce dernier, l'important pour un écrivain, c'est d'être au poste « entièrement présent à l'acte d'écrire ». Votre don pour la transposition n'explique donc pas à lui seul le succès de votre œuvre ?

M. T. C'est vrai. Certaines personnes ont beaucoup de talent mais n'accomplissent rien ! Au Québec, j'ai la réputation d'écrire facilement et abondamment. Depuis 1959, j'ai rédigé une soixantaine d'ouvrages – tous genres confondus –, une moyenne d'un livre et demi par année. Au Québec, c'est beaucoup. Mais à travers le monde, ma production est loin d'être phénoménale. Balzac a écrit plus de quatre-vingt-dix romans en vingt ans ! San Antonio pouvait pondre un livre par mois ! L'œuvre de Georges Simenon totalise environ quatre cent cinquante romans ! Ces écrivains prolifiques devaient sûrement être plus disciplinés que moi...

L. B. Mais quand même, l'écriture semble assez facile pour vous. Ce n'est pas un fardeau ?

M. T. Encore là, c'est faux. Je trouve l'écriture difficile, mais pas souffrante. Même quand j'ai mal ou que je pleure, comme avec *Messe solennelle...*, je suis conscient qu'au bout du compte, j'écris pour me faire du bien. Mon ultime plaisir, ma plus grande satisfaction dans la vie, c'est de m'asseoir devant l'ordinateur pour écrire. À ce moment-là, j'oublie tous mes tracas. J'aime mieux écrire des pièces de théâtre et des livres – pour gagner ma vie – que de payer un thérapeute qui va me faire accroire que je suis intéressant... L'écriture est en quelque sorte une autoanalyse. Je préfère me confier à la page blanche.

L. B. Ou à un journaliste...

PARCOURS BIBLIOGRAPHIQUE

Michel Tremblay est né le 25 juin 1942, dans le Plateau-Mont-Royal, un quartier ouvrier de l'Est de Montréal. Il est devenu très jeune une figure dominante de la société et du théâtre québécois. À vingt-six ans, le dramaturge a lancé une bombe dans le paysage théâtral québécois avec la création de sa pièce *Les Belles-Sœurs* au Théâtre du Rideau Vert, en 1968. Plusieurs grands textes suivront et viendront confirmer l'importance de son œuvre dramatique au Québec et à l'étranger. Mentionnons *À toi, pour toujours, ta Marie-Lou, Hosanna, Bonjour, là, bonjour, Albertine, en cinq temps*, et plus récemment, *Encore une fois, si vous permettez*.

Parallèlement à ses vingt-quatre pièces de théâtre traduites en plus de vingt-cinq langues et acclamées sur les cinq continents, Michel Tremblay s'est aussi distingué comme romancier, scénariste, librettiste, traducteur et auteur pour la télévision.

Lauréat de plus d'une vingtaine de prix et de nombreux honneurs au cours de sa carrière, Michel Tremblay a reçu en 1999 le prix du Gouverneur général du Canada pour les arts de la scène, ainsi que le prix Gascon-Thomas de l'École nationale de théâtre du Canada pour « sa contribution exceptionnelle à l'épanouissement du théâtre au Canada ; et parce que sa carrière est source d'inspiration pour les finissants qui s'apprêtent à faire le saut dans le milieu du théâtre professionnel ». Il a été nommé Chevalier de l'Ordre des arts et des lettres de France et Chevalier de l'Ordre national du Québec. En mars 2000, le dramaturge québécois a été invité par l'Institut international de théâtre (IIT) à signer le texte à l'occasion de la Journée mondiale du théâtre.

Autant pour l'originalité de sa démarche formelle que pour la profondeur et l'universalité de sa vision, Michel Tremblay compte parmi les auteurs marquants de notre temps.

REMERCIEMENTS

À mes parents, avec toute mon affection et mon amour. À mes chers amis : Émile Gaudreault – qui m'a donné l'idée de ce livre ; Mathieu Chantelois, pour ses bons conseils ; Sophia Borovchyck et Josée Lalonde, pour leurs encouragements. À André Brassard, André Montmorency, Rita Lafontaine, Michel Poirier, René Richard Cyr, Loui Mauffette, Claude Gai et Denise Filiatrault, pour leurs précieux souvenirs. À Camille, Marie-Claude, Nathalie et Dominique, de l'Agence Goodwin, pour leur professionnalisme. À Stephen Cournoyer, docteur ès informatique, pour son savoir-faire en matière de bogues...

LUC BOULANGER

BIBLIOGRAPHIE DE MICHEL TREMBLAY

ROMANS, RÉCITS ET CONTES

Contes pour buveurs attardés, Éditions du jour, 1966 ; BQ, 1996
La Cité dans l'œuf, Éditions du jour, 1969 ; BQ, 1997
C't'à ton tour, Laura Cadieux, Éditions du jour, 1973 ; BQ, 1997
Le Cœur découvert, Leméac, 1986 ; Babel, 1995
Les Vues animées, Leméac, 1990 ; Babel, 1999
Douze coups de théâtre, Leméac, 1992 ; Babel, 1997
Le Cœur éclaté, Leméac, 1993 ; Babel, 1995
Un ange cornu avec des ailes de tôle, Leméac/Actes Sud, 1994 ; Babel, 1996
La Nuit des princes charmants, Leméac/Actes Sud, 1995 ; Babel, 2000
Quarante-quatre minutes, quarante-quatre secondes, Leméac/Actes Sud, 1997
Hotel Bristol New York, N.Y., Leméac/Actes Sud, 1999

CHRONIQUES DU PLATEAU-MONT-ROYAL

La Grosse Femme d'à côté est enceinte, Leméac, 1978 ; Babel, 1995
Thérèse et Pierrette à l'école des Saints-Anges, Leméac, 1980 ; Grasset, 1983 ; Babel, 1995
La Duchesse et le roturier, Leméac, 1982 ; Grasset, 1984 ; BQ, 1992
Des nouvelles d'Édouard, Leméac, 1984 ; Babel, 1997
Le Premier Quartier de la lune, Leméac, 1989 ; Babel, 1999
Un objet de beauté, Leméac/Actes Sud, 1997
Chroniques du Plateau Mont-Royal, coll. thesaurus, Leméac/Actes Sud, 2000

THÉÂTRE

En pièces détachées, Leméac, 1970
Trois petits tours, Leméac, 1971
Les Belles-Sœurs, Leméac, 1972
À toi, pour toujours, ta Marie-Lou, Leméac, 1972
Demain matin, Montréal m'attend, Leméac, 1972

Bonjour, là, bonjour, Leméac, 1974
Les Héros de mon enfance, Leméac, 1976
Sainte Carmen de la Main suivi de *Surprise ! Surprise !*, Leméac, 1976
Damnée Manon, sacrée Sandra, Leméac, 1977
L'Impromptu d'Outremont, Leméac, 1980
Les Anciennes Odeurs, Leméac, 1981
Albertine, en cinq temps, Leméac, 1984
Le Vrai Monde ?, Leméac, 1987
Nelligan, Leméac, 1990
La Maison suspendue, 1990
Le Train, Leméac, 1990
Marcel poursuivi par les chiens, Leméac, 1992
Théâtre I, Leméac/Actes Sud-Papiers, 1991
En circuit fermé, Leméac, 1994
Messe solennelle pour une pleine lune d'été, Leméac, 1996
Encore une fois, si vous permettez, Leméac, 1998

ADAPTATIONS (THÉÂTRE)

Lysistrata (d'après Aristophane), Leméac, 1969, réédition 1994
L'Effet des rayons gamma sur les vieux garçons (de Paul Zindel), Leméac, 1970
Et Mademoiselle Roberge boit un peu (de Paul Zindel), Leméac, 1971
Mademoiselle Marguerite (de Roberto Athayde), Leméac, 1975
Oncle Vania (d'Anton Tchekov), Leméac, 1983
Le Gars de Québec (d'après Gogol), Leméac, 1985
Six heures au plus tard (de Marc Perrier), Leméac, 1986
Premières de classe (de Casey Kurtti), Leméac, 1993

INDEX

THÈMES

PERSONNAGES PRINCIPAUX

NOMS PROPRES

TABLE DES MATIÈRES

OUVRAGE RÉALISÉ PAR
LUC JACQUES, TYPOGRAPHE
ACHEVÉ D'IMPRIMER
EN MARS 2001
SUR LES PRESSES DE
MARC VEILLEUX IMPRIMEUR
BOUCHERVILLE
POUR LE COMPTE DE
LEMÉAC ÉDITEUR, MONTRÉAL

DÉPÔT LÉGAL
1re ÉDITION : 1er TRIMESTRE 2001
(ÉD. 01/IMP. 01)